파도타기

파도타기

발 행 | 2024년 1월 8일
저 자 | 김정현, 김혜정, 박경아, 양혜인
펴낸이 | 한건희
펴낸곳 | 주식회사 부크크
출판사등록 | 2014.07.15.(제2014-16호)
주 소 | 서울특별시 금천구 가산디지털1로 119 SK트윈타워 A동 305호
전 화 | 1670-8316
이메일 | info@bookk.co.kr

ISBN | 979-11-410-6515-7

파도타기

김정현 김혜정 박경아 양혜인 지음

차례

모든 사람의 청춘에게 이 책을 바칩니다.

프롤로그

"당신은 지금, 어떻게 살고 있습니까?"

우리는 이 질문에 파도를 타고 있다고 답한다. 잔잔하고 거칠게, 우리는 각기 다른 파도를 타고 있다. 같은 나이 22세, 똑같아 보이지만 다른 삶을 사는 우리는 이제 함께 파도를 타기 위해 모였다.

우리는 어떻게 살고 있으며, 어떻게 살 것인가? 라는 물음은 소설에서 시작한다. 우리는 주인공처럼, 언제나 잔잔하지만은 않은 파도가 달갑지 않을 수 있다. 그러나 우리는 어떤 형태의 파도든 받아들일 준비를 하는 주인공의 모습을 통해, 각기 다른 형태의 삶을 살아가는 우리가 파도에 저항하는 것이 아닌, 파도를 받아들이고자 한다는 다짐을 전한다.

에세이는 사람마다 삶의 형태가 각기 다를 수 있으며, 그 삶이 파도의 모습과 유사하다는 점에 초점을 맞췄다. 파도도 매일매일의 모습이 다르다. 어떤 날은 잔잔하기도 하고, 어떤 날은 거칠기도 하다. 파도처럼 예측할 수 없는 우리의 삶의 형태를 세 가지 취향을 녹여낸 에세이로 전하고자 한다.

1부는 잔잔한 일상을 살던 '나'가 화장품의 세계라는 파도를 타고, 상상하는 미래를 향해 나아가는 과정을 담고 있다. 첫 번째 파도의 형태는 잔잔한 파도가 거센 파도가 되어, 여전히 그 파도 속에 함께 하고 있음을 보여준다.

2부에서는 여러 가지 관심사 속에서 헤엄치던 '나'가 우연히 만난 밴드라는 파도를 통해 몰랐던 취향을 발견하고, 삶의 의미를 되찾는다. 거대한 파도는 이제 잔잔해졌지만, 밴드는 내게 일상이 되어 존재하고 있다. 두 번째 파도의 형태는 잔잔한 물결에서 거친 파도를 만난 후, 다시 잔잔한 파도로 흘러가는 흐름을 보여준다.

3부에서는 평화로울 것 같던 동생과의 여행에서 갈등이라는 거친 파도를 만나지만, 동생과의 타협을 통해 파도를 받아들이고 더 나은 '나'로 성장한다. 세 번째 파도의 형태는 갑작스레 닥친 거친 파도를 받아들이는 과정을 통해, 잔잔한 파도가 되는 모습을 보여준다.

우리가 전하는 네 개의 이야기처럼, 우리는 살아가면서 다양한 파도를 만날 수 있다. 이 책을 통해 독자들이 우리의 이야기에 공감하고, 파도를 받아들이고자 하는 발돋움을 내디뎠으면 좋겠다. 책의 도입부에서, 이 책을 읽는 이들에게 함께 파도를 타기 위한 손을 내밀고 싶다.

겨울의 방파(防波)

김혜정

제1장 10년 만의 소식

창문 너머 들리는 굉음이 겨울을 알렸다.

일이 있어 늦게 출발했던 터라, 차에서 내려 급히 건물로 들어갔다. 그곳은 이미 검은 옷을 입은 사람들로 가득 차 있었다. 바다가 바로 앞에 있어서인지, 파도가 내는 소리는 조문객들이 문을 여닫을 때마다 반복해서 들렸다.

조객록에 서명하고 들어서니 대부분 낯이 익은 얼굴들이다. 개중엔 친했던 이들도 몇몇 보였다. 또래처럼 보이는 사람들 사이로는 하얀 핀을 꽂고 완장을 찬 두 사람이 손님을 받고 있었다. 이 공간에서 연우의 가족처럼 보이는 건 그 둘 뿐이다.

주변 대화를 들어보니 고인의 고모, 고모부 되는 분들이란다. 어쩐지 낯이 익더라니. 다시 보니 학교에서 한 번 본 기억이 있었다. 그날 연우의 짐을 가지러 왔었던가.

두 사람이 별로 슬퍼 보이진 않았기에 가까운 가족은 아니구나, 하고 짐작했었다.

나는 두 상주에게 목례하고 국화꽃을 집었다. 이미 높게 쌓인 더미 위에 꽃을 올려놓자, 곧 무너질 것처럼 위태로운 형상이 되었다. 그걸 불안하게 보고 있자니 앞에 놓인 사진이 눈에 들어왔다. 영정 사진 속 얼굴은 수많은 꽃을 두르고서도 무표정을 유지하고 있었다. 아니, 웃고는 있었지만 누가 봐도 억지로 웃고 있는 꼴이라 더 경직되어 보인다.

조문 후 옷매무새를 정리하고 있는데, 누군가 다가와 어깨를 툭툭 쳤다. 고개를 돌리니 아까 봤던 익숙한 얼굴들이다.

"야 서준아, 오랜만이다. 졸업하고 몇 년 동안 연락 없더니 여기서 다 보네? 여기서 할 말은 아니지만 잘 지냈냐?"

고등학교 1학년 때 같은 반이었던 재영이 내 어깨에 손을 올린 채 말을 건넸다. 고등학교에 입학해 처음으로 사귄 친구였던 그 아이는 얼굴이며 성격이며 변한 게 없었다.

"나야 잘 지냈지. 넌 어째 변한 게 없냐. 철 좀 들었을 줄 알았더니."

변한 게 없다는 말에 입을 삐죽인 재영이 말했다.

"사람이 갑자기 변하면 오히려 안 좋은 거야. 오랜만에 만나서 하는 말이 그거라니 좀 서운하다? 넌 애가 재미없어졌어."

"너넨 몇 년 만에 만나서 또 싸워?"

"나도 다시 만나니까 반갑다, 서준아. 우리 세 명은 졸업하고 가끔 모였었는데, 넌 연락이 안 닿아서. 그래도 보니까 좋네."

남녀 분반이었으나 같은 동아리에서 친해져 함께 다녔던 혜림이 핀잔을 주자 나와 같은 반이었던 규진이 덧붙여 말했다.

간단히 안부를 나눈 나는 세 명의 친구와 함께 빈자리를 찾아

앉았다. 나는 자리에 앉아 주변을 둘러보았다. 오늘 방문한 조문객은 대부분 20대 또래여서, 누구나 죽은 이의 나이가 젊었음을 추측할 수 있었다.

반갑게 시작한 인사와 달리, 우리는 자리에 앉아 침묵을 지켰다. 어색함이 감도는 적막을 뚫고 혜림이 입을 열었다.

"연우도 오랜만이네…."

혜림의 말에 분위기가 한층 더 가라앉았고, 나는 연우의 사고 소식을 들은 날을 떠올렸다. 고등학교 3학년이 시작되기 전, 연우는 교통사고를 당했고, 서울 병원으로 옮겨진 지 10년 만에 시체로 돌아왔다. 그날 연우가 왜 학교까지 빠지고, 강릉이 아닌 서울에 있었는지는 모를 일이다.

"그래도 연우 덕에 우리 다시 모였잖아. 이렇게 우중충하게 있지 말고 연우 잘 보내주자. 연우도 그걸 바랄 거야."

재영이 애써 웃으며 말했다.

"그래그래. 서준이 넌 요새 어떻게 지냈어? 많이 바빴나봐."

"아, 그게…. 서울 가니까 정신이 없더라고. 거기서 적응하다 보니 연락할 틈이 없었네, 미안."

규진의 물음에, 나는 괜히 연락을 안 본 게 찔려 변명을 늘어놓았다. 규진은 내 반응이 웃겼는지 미소를 짓고는 말했다.

"다시 강릉에 오니까 어때? 난 너네랑 여기 있으니까 꼭 학생으로 돌아간 것 같아서, 뭔가 느낌이 이상해."

규진의 말에 혜림은 동의하는 의미로 고개를 끄덕였다. 그 모습을 보던 재영이 갑자기 생각났다는 듯 물었다.

"아, 그러고 보니…. 연우 장례식을 왜 강릉에서 하지? 연우고향은 서울이잖아. 고등학교를 강릉에서 다녔다곤 해도….”

확실히, 그건 의아한 일이다. 연우네 친척이 고향을 몰랐을 리 없는데, 왜 하필 이곳이었을까. 내가 고민하는 사이, 혜림이 답했다.

“실례인 건 알지만, 나도 그게 궁금해서 여쭤봤거든? 근데 연우네 고모, 고모부가 그러자고 하셨대.”

혜림이 주변을 둘러보고 조용히 말했다.

“연우가 깨어나지 못했던 거, 알고 있지? 그런데 사실 연우가 한 번 깨어난 적 있었나 봐. 그때 연우가 한 말이, 강릉에서 장례식을 치러달라는 거였대. 연우네 고모는 고향이랑 거리가 꽤 있어서 지인들이 가기 좀 어렵기도 하고, 왜 벌써 그런 얘기를 하느냐며 만류하셨는데, 장례식에 많이 오지 않아도 괜찮으니 꼭 강릉에서 하게 해달라고 부탁했다더라고.”

나는 무심코 중얼거렸다.

“뭐야, 꼭 유언처럼….”

내 말을 들은 혜림이 말했다.

“그래, 유언처럼. 그 말 하고 얼마 안 있어서 다시 의식을 잃었대. 친척 입장으론 하고 싶은 말이 있어서 힘을 낸 게 아닐까, 생각하셨다는데. 네 말처럼 그게 꼭 유언 같아서, 들어줄 수밖에 없었다고 하셨어.”

이번엔 재영이 중얼거렸다.

“왜 그렇게까지 강릉에서 하고 싶어 했을까. 연우가 강릉에서 지낸 건 고등학생 때뿐인 게 맞을 텐데. 말도 안 되는 이유지만, 그때가 좋은 추억이 됐다거나…?”

“만약 그런 거라면 우리로선 고마운 일이네. 그만큼 연우가 우리와의 생활이 좋았다는 거니까. 생각해 보면 그때 연우 안좋아하는 사람 없었지, 아마?"

재영의 말에 규진이 답했다. 그런 규진의 말을 시작으로, 우리는 연우와의 첫 만남을 떠올렸다.

"난 원래 싫어했다? 솔직히 처음엔 소문도 안 좋고 인상도 좀 험악했잖아. 1학년 중반에 갑자기 전학을 와서 진짜 사고라도 친 줄 알았지."

"그런 소문은 누가 냈나 몰라. 난 연우만큼 모범생 같은 애처음 봤어. 공부도 잘하고, 반 애들한테도 친절하고…. 내가 동아리 부장이었잖아, 그때도 심부름 같은 거 있으면 귀신같이 알아채고 도와주더라니까. 지금도 봐, 연우와 같은 반이었던 애들로 건물이 꽉 찼어."

"연우 부모님 사고 나셨을 때도 똑같았지. 나였으면 다 때려치웠을걸. 그렇게 의연하기도 힘든데, 대단하더라."

친구들의 대화를 듣던 나는 묘한 기분을 느꼈다. 친구들이 떠올리는 연우는 누구에게나 친절한 모범생, 갑자기 닥친 불행에도 늘 웃음을 잃지 않는 친구의 모습이었다. 그 아이를 지칭하는 말들이 허공에 떠돈다.

나는 잠시 그 말을 정정할까 고민했으나, 관두고 친구들의 대화에 참여했다. 연우의 이야기를 끝낸 후로도 우리는 고등학생 시절을 떠올리며 오랜 대화를 했다.

"오늘 오랜만에 만나서 좋았어. 다음에도 우리 다섯 명, 연우까지 다시 모여야지. 그땐 바다 한 번 보러 가자."

건물을 나와, 규진이 옷을 여미며 말했다.

"야, 좋다. 안서준 너 이번엔 진짜 연락 봐라? 또 바쁘다면

서 잠수하기 없기야."

그에 재영이 맞장구치며 으름장을 놓았고, 나는 피식 웃고는 답했다.

"알았어, 알았어. 몇 번을 물어보냐. 이젠 진짜 볼게, 됐지?"

나는 규진과 재영에게 손을 흔들고는 한적한 길가를 걸었다. 저 멀리 중요한 일이 있다며 먼저 떠났던 혜림이의 빨간 차가 보였다. 새빨간 차는 무채색의 차들 사이에서 존재감을 내뿜으며 빠르게 사라졌다.

도로 너머에 보이는 바다를 보며 걷는데, 전화벨 소리가 울렸다. 아버지에게서 온 전화였다.

"네, 아버지. 방금 나왔어요. …에이 바쁘셨으니 어쩔 수 없죠. 연우도 이해할 거예요. 오랜만에 왔으니까 좀 둘러보다가 저녁쯤에 찾아뵐게요. 네, 네. 이따 봬요."

서울로 올라간 이후로 아버지도 찾아뵙지 못했으니 얼른 둘러보고 가야겠다고 생각하며, 눈이 쌓인 언덕 위를 올랐다. 언덕 꼭대기에 다다르자 '해봄 고등학교'라고 쓰인 입구가 보였다. 새삼 이 높은 데를 어떻게 매일 올라갔는지. 그래도 높은 곳에 있어 풍경 하나는 좋았다.

사람이 없는 주말이라 수월하게 건물로 들어갔다. 인적 없는 건물은 서늘한 기운을 풍겼다. 나는 익숙한 모교 복도를 걷다가 3-4라고 쓰인 교실 앞에 멈추었다. 예상은 했지만, 교실 문은 잠겨있다.

교실에 들어가길 포기하고 돌아서려는 그때, 교실 앞 복도에 놓인 사물함 하나가 보였다. 우리 학교 사물함은 교실 안에 있었으므로, 복도에 홀로 놓인 사물함은 낯설게 느껴졌다.

따로 빼놓은 청소도구함일지도 모른다고 생각하며 다가가 보니, 청소도구함은 아니다. 이름이 있어야 할 부분에 무언가 적혀 있었다. 구겨진 종이에 희미하게 남은 잉크 자국이었지만, 한눈에 알아볼 수 있었다.

장연우.

졸업한 지 10년도 더 된 이곳에, 연우의 이름이 왜 아직도 남아 있는 걸까. 그 아이가 돌아오길 바라는 의미로 사물함을 치우지 않은 건 기억나는데, 여전히 남겨뒀을 줄은 몰랐다. 주인 잃은 사물함은 끝내 주인을 찾지 못했지만.

사물함을 열자, 각종 필기 노트와 도화지 한 장이 놓여 있었다. 연우네 친척이 가지고 간 건 필요한 물품 몇 개뿐이었나보다. 여기 남은 물건도 이젠 정리해야겠지. 나는 뒤집힌 도화지를 들추었다. 익숙한 그림이었다.

아마 '미래의 내 모습을 상상하여 자화상 그려보기'가 주제였던가. 난 배를 탄 내 모습을 그렸던 것 같다.

'그땐 아버지 일을 잇겠다고 생각했으니까.'

연우의 도화지에는 날개 달린 사람의 모습이 있었다. 구석에 그려진 사람과 달리, 종이의 절반을 채운 날개는 마치 날개가 주인공이라는 듯 보였다.

작은 몸, 커다란 날개.

나는 그림과 달리 키가 컸던 전학생을 떠올렸다. 어렸을 때부터 하늘 나는 게 소원이었다며 그림을 소개한 그 아이는 웃음 터진 반 아이들과 함께 웃었다. 터무니없는 소원이라며 나도 한바탕 웃었다. 그러나 이젠 너의 진짜 소원이 무엇인지 안다.

나는 물건을 정리하려던 것도 까먹고, 한동안 그 자리에 서서 그림을 바라보았다. 창문 너머 들리는 파도 소리가 여전히 귓가에 울리고 있었다.

제 2 장 소 문 의 전 학 생

　고등학교 생활에 익숙해진 4월 중반, 우리 반에 전학생이 온
다는 소문이 퍼졌다. 1학년인데 입학도 아니고 전학이라니, 필
시 무슨 사고를 친 게 틀림없다는 둥, 어느 국회의원의 자녀라
는 둥, 중간고사 공부에 지루해하던 학생들은 소문의 전학생에
대해 신나게 떠들어댔다.

　공부와 담을 쌓은 나에게도 전학생은 재미있는 흥밋거리였기
때문에, 중간고사 준비를 제쳐두고 반 아이들의 '전학생 추측
하기'에 동조했다.

　"서울에서 왔으면 피부 하얗고 까칠하고 그러려나? 드라마
보면 그러잖아."

　"에이, 그건 드라마고. 서울 애들이라고 뭐 다르겠냐. 그리
고 여기가 딱히 시골은 아니지."

　"근데 국회의원 아들이라며? 그러면 성격 더러울지도 모르
지. 진짜 사고 쳐서 온 거면 어떡하냐. 막 여기서 깽판 치는 거

아냐?"

중간고사 시작 3일 전, 교실 문을 연 전학생의 첫인상은 우리의 추측과 꼭 들어맞았다.

화난 것처럼 보이는 무표정한 얼굴과 큰 키. 피부는 하얗지 않았으나, 앞의 조건만으로도 소문을 믿기에는 충분했다. 어색해서인지, 무서워서인지 우리는 선뜻 전학생에게 다가가지 않았다. 전학생은 아무도 말을 걸지 않는 것에 개의치 않은 듯 보였다.

소문이 사실이라면 괜히 잘못 걸리지 않는 게 좋을 것이란 생각에, 나도 굳이 말을 걸지 않았다. 그렇게 3교시가 지나가고 쉬는 시간이 되었을 때, 전학생이 우리에게 말을 걸어왔다. 정확히는 우리와 떠들고 있던 반장에게 할 말이 있어 보였다.

"저기, 네가 반장이지? 미안한데 내가 교과서를 아직 안 받아서. 혹시 어디서 가져오면 돼?"

"아, 그…. 교과서 받는 곳은 따로 있긴 한데, 아마 네 건 교무실에 있을걸? 장연우 맞지? 내가 선생님께 말씀드리고 가져올게."

잠시 당황한 지호가 몸을 일으키며 말했다. 그에 연우는 손사래를 치며 답했다.

"아냐, 무거울 텐데. 혹시 교무실까지만 같이 가 줄 수 있어? 길을 몰라서…."

함께 교실을 나선 지호와 연우는 수업 종이 칠 때쯤 교과서를 나눠 들고 들어왔다. 분위기가 화기애애한 게, 벌써 친해진 것 같았다. 궁금증을 참지 못한 나는 점심시간이 되자마자 지호에게 물었다.

"쟤 어때? 소문대로야? 아까 보니까 좀 친해진 깃 같딘데."

옆에서 재영이 거들었다.

"둘이 뭘 얘기했어? 진짜 사고 쳐서 온 거래?"

"야, 오늘 만났는데 그걸 어떻게 물어보나…. 근데 뭐, 대화도 잘 통하고 반응도 잘해주더라. 오는 동안 계속 고맙다 그러고, 도울 일 있으면 언제든 말하래. 엄청 착하던데?"

지호는 소문을 믿은 게 괜히 미안하다고 중얼거리곤, 기다리던 친구들과 함께 교실을 나갔다. 나는 점심을 먹으러 가기 전 주위를 둘러보았다. 키 큰 전학생의 뒷모습이 보였다. 혼자 있을 줄 알았던 연우는 이미 다른 친구들과 대화를 나누고 있다. 즐겁게 대화하며 웃는 연우는 무표정했던 첫인상과 매우 달랐다.

약 한 달이 지나자 전학생에 대한 소문은 완전히 사그라들었다. 친절하고 친화력 좋은 건 물론이고, 성적까지 상위권인 모범생이었기 때문이다. 누군가 다시 소문 얘기를 꺼낼 때면, 다들 말도 안 되는 일이라며 나무랄 정도였다. 그러나 소문이 모두 틀린 건 아니었다. 연우는 국회의원 아들이냐는 반 친구의 질문에 긍정했다. 이름만 들으면 누구나 아는 서울시 국회의원이었다. 인터넷에서 국회의원 부부의 기사도 봤던 기억이 있다.

왜 이 학교로 전학 온 거냐는 질문에는 잠시 뜸을 들이더니 '내가 원해서'라고 답했다. 다소 심심한 대답이었지만, 소문의 일부가 맞았다는 사실만으로도 친구들은 들떠 보였다.

그러나 나는 그렇지 못했다. 이미 완벽해 보이는 사람에게 뒤따른 소문은 완벽을 더 공고히 해줄 장치일 뿐이었다. 나 또한 각종 소문을 가진 연우에게 관심을 가졌으나, 부족한 것 하나

없이 살아왔을 전학생을 생각하니 조금 배알이 꼴렸다.

잘난 부모 밑에서 뭐든지 지원받았을 테니 못 하는 게 없겠지. 불행할 일이 없었으니까 항상 웃을 수 있는 거야. 저 애가 남들에게 사랑받고 사랑을 줄 수 있는 건 엄마도, 아빠도 모두 살아있으니까….

어렸을 때부터 아빠와 단둘이 살았던 나에게 연우는 부러움의 대상이자 질투의 대상이었다. 내 마음 한구석엔 미운 감정이 있었지만, 그렇다고 연우를 싫어했던 건 아니다. 질투와는 별개로, 연우는 나와 제법 잘 맞는 구석이 있었다. 가령, 말장난하길 좋아한다든가, 모르는 문제가 있으면 2번으로 찍는다든가와 같은 것 말이다. 연우는 나에게도 잘 맞는, 좋은 반 친구였다.

그러나 한 가지 이해할 수 없었던 건 갈등 자체를 꺼리는 듯한 연우의 태도였다. 연우는 자신에게 시비를 거는 친구에게조차 친절한 모습을 유지하려 했다.

과학 시간, 평소 아닌 척 막말하던 친구가 이번엔 연우를 타깃으로 정한 모양이었다. 연우와 같은 조였던 그 아이는 묽은 염산이 든 병을 집으려는 연우를 막으며 말했다.

"어! 연우야, 너는 이런 거 들지 마. 묽은 거긴 하지만 위험하잖아."

"학교에서 쓰는 거라 안전할 거야. 손에 닿아도 물에 씻으면 되지."

연우는 다시 병을 집어 들었다. 연우가 자신을 무시한다고 생각했는지, 그 친구는 비꼬는 투로 말했다.

"아니, 혹시 모르잖아. 네가 다쳐서 너희 부모님이 손해 배상 청구라도 하면 어떡해?"

명백히 공격적인 발언에, 반 아이들의 분위기가 싸해졌다. 옆에 있던 조원이 무슨 말을 그렇게 하냐며 말렸지만, 그 아이는 뭐 어떠냐며 연우를 쳐다보았다. 입을 다문 채 병을 쥔 손을 놓지 않는 걸로 보아 연우도 화가 나 보였지만, 곧 병을 내려놓고 차분하게 이야기했다.

　"겨우 이런 걸로 부모님께서 따지지는 않아. 위험한 건 너도 마찬가지니까 서로 조심하자."

　험악한 연우의 표정을 보고 싸움이 날 거라 예상했으나, 연우가 시비에 대응하지 않은 탓에 상황은 일단락되었다. 시비를 건 친구는 그냥 걱정해준 거라며 투덜대곤 자리에 앉았다.

　그 친구의 시비는 입학한 이래로 종종 있는 일이었고, 그럴 때면 곧장 싸움이 벌어졌다. 싸움이 나지 않은 건 이번이 처음이었다. 나였다면 그냥 한 대 때리고 말았을 텐데, 연우의 행동은 싸움 자체를 회피하는 것처럼 보였다.

　마지막 교시였던 과학 수업이 끝나고, 과학부장이었던 나는 과학실 열쇠를 돌려놓기 위해 교무실로 향했다. 교무실에 들어가 열쇠를 걸고 있는데, 담임 선생님과 이야기하는 연우가 보였다. 오지랖 넓은 과학 선생님이 벌써 말하기라도 했는지, 둘은 과학 시간에 있었던 일을 이야기하고 있었다.

　"그 애가 원래 좀 그래. 주의를 줬는데 또 그러네. 그래도 잘 참았어, 연우야. 앞으로도 같이 싸우지 말고 그냥 맞장구 쳐줘. 그렇게 나쁜 애는 아니야."

　나쁜 애는 아니라는 말에 속으로 부정하던 나는 교실에 가기 위해 발걸음을 옮겼다. 그때, 담임 선생님의 입에서 의외의 정보가 나왔다.

"…연우 네가 서울 학교에서 크게 싸웠다고 들었어. 다친 사람도 있다고…. 부모님께서 네가 또 사고 치지 않게 지켜봐 달라고 하셨지만, 나는 연우가 착한 아이란 걸 알아. 선생님들 사이에서도 네가 참 예의 바르고 공부도 잘한다고 칭찬이 자자하거든. 선생님은 서울에서 있었던 일도 실수였을 거라고 믿어. 부모님께 이번 일은 말씀 안 드릴게. 교실 올라가 봐."

"네…. 감사합니다."

연우는 꾸벅 인사를 하고 교무실 뒷문을 열었다. 나갈 타이밍을 놓친 나는 연우가 교무실 앞 복도를 지나쳐 갈 때까지 기다렸다. 결국 사고 치고 전학을 왔다는 소문은 사실이었다. 솔직히, 지금껏 봐왔던 모습으로는 연우가 싸워서 전학을 왔다는 사실이 믿기지 않았다. 그것도 서울에서 강릉으로 전학을 올 정도면 굉장히 심각한 사건이었을 텐데. 나는 누명을 쓰기라도 한 걸까 생각하며 계단을 올랐다. 교실에 있을 줄 알았던 연우는 이미 가고 없었다. 가방을 챙기고 교실을 나서려는데, 어디선가 바람이 불었다. 뒤를 돌아보니 교실 창문이 열려 있다. 몹시 귀찮았지만 안 닫고 나갈 순 없는 노릇이라, 창문이 열린 교실 뒤편으로 향했다. 뒤편 벽면엔 미술 시간에 그린 물감 그림을 말린다는 이유로 안 겹치게 붙여둔 종이들이 있었다. 출석 번호대로 줄줄이 붙은 그림 중 몇 장이 바람에 따라 흔들렸다. 그중엔 연우의 그림도 있었다.

작은 몸, 커다란 날개.

연우는 자신의 미래 모습으로 날개 달린 사람을 그렸다. 그림과 달리 키가 컸던 연우는 하늘 나는 게 소원이라고 했다. 대부분 '자신이 원하는 직업을 가진 나'를 그렸는데, 연우는 커다란 날개 하나만 그렸다. 난 터무니없다고 생각했다. 같은 생각을 했는지 빵 터진 반 아이들과 함께, 나도 웃었다. 연우는 장난스럽게 웃으며, 마치 친구들을 웃기기 위해 이 그림을 그렸다는 양 굴었다.

도화지 절반을 꽉 채운 날개가 바람에 흔들렸다. 착각인 걸 알지만, 그림 속 날개는 스스로 펄럭이는 것처럼 보였다. 나는 창문을 닫았다. 날개는 더 이상 움직이지 않았다.

장 연 우

제 3 장 아무도 없는 곳

아버지를 태운 배가 시야에서 사라졌다. 여름 방학이라고 새벽부터 날 깨워 잡다한 일을 시킨 아버지는 고맙단 말 하나 없이 떠났다. 아버지를 돕는 건 익숙했지만, 매일 새벽부터 나와 일을 하려니 고단한 건 어쩔 수 없다.

부둣가에 서서 이 짓을 얼마나 더 해야 하는지 남은 날짜를 세고 있는데, 근처 방파제 위에 선 인영이 보였다. 일찍부터 낚시하러 나온 사람인가 했으나, 그 사람은 그저 서 있기만 했다. 자세히 보니 장비도 없다.

한참을 서 있더니 방파제 아래로 내려가려 하기에, 그쪽으로 다가갔다. 최근에 여기서 발을 헛디뎌 다친 사람이 있어서 명목상으로라도 주의를 줘야 했다. 그러나 방파제 가까이 간 나는 더 다가갈 수 없었다. 그 사람의 정체는 같은 반 연우였기 때문이다. 연우가 이곳에서 무얼 하고 있는지는 모르지만, 반 친구일 뿐인 동급생이 주의를 주면 기분이 나쁠 것이다. 모르는 이도 아니고, 술을 마신 것도 아니니 어련히 조심하겠거니 했다.

다만 스스로 신경이 쓰여 눈길이 갔다. 딱히 뭘 하려는 건 아니었는지, 방파제에 부딪히는 파도만 바라보다 자리를 떴다. 연우는 다음날에도 그곳에 서 있었다. 이번에도 하는 일 없이 바라보기만 했다. 다음 날도, 그다음 날도. 이제 아버지가 떠나면 연우를 지켜보는 게 일상이 됐다. 다행히 발을 헛디뎌 다치는 사고는 일어나지 않았다.

파도가 거친 날에도 연우는 방파제 아래쪽으로 내려갔다. 파도가 칠 때마다 연우의 머리카락이 흔들렸다. 머리카락이 굵어 짙은 검정인 내 머리와 달리, 약간 회색빛을 띠는 연우의 머리는 바람에 잘 흔들렸다. 허공으로 날리는 머리는 부딪히는 파도와 꽤 잘 어울렸다.

방학이 끝날 때가 되어서야 나는 연우에게 아는 체를 했다. 연우는 나를 보고 놀라며 여긴 어쩐 일이냐 물었다. 난 아버지가 어부 일을 하신다 답했고, 연우에게 바다를 좋아하느냐 물었다. 그에 연우가 말했다.

"서울에서 쉽게 볼 수 없어서 좋아해."

말을 마친 연우가 내게 되물었다.

"넌 바다를 좋아해?"

나는 잔잔해진 바다를 보며 말했다.

"…좋아해."

그 후로 우리는 시답잖은 대화를 나누고 작별 인사를 했다. 나는 잠시 고민하다가 발을 헛디디지 않게 조심하라고 했다. 연우는 기분 나빠 보이지 않았다.

방학이 끝난 뒤로 우리는 부쩍 친해져 있었다. 워낙 연우가 반 아이들과 두루두루 친하긴 했으나, 그 전에 비해 내게 말을 거는 횟수가 많아졌다. 큰 차이는 아니었지만 나는 우리가 더 가까워졌음을 느꼈다.

연우가 나와 대화하는 상황이 많아지면서, 얼떨결에 무리 아닌 무리가 형성되었다. 거기에는 재영, 규진도 포함이었다. 말이 무리이지, 사실상 함께 시간을 보내는 경우가 다른 친구들에 비해 많다는 뜻이었다. 조별 활동 때 같은 조를 한다든가, 축구를 할 때 같은 편을 먹는다든가 정도의 시간이었다.

무리의 편함에 익숙해진 우리는 2학년이 되어서도 같은 반이길 원했지만, 아쉽게도 네 명 모두 같은 반이 될 순 없었다. 다행히 두 명씩은 붙어서 나는 규진과, 재영인 연우와 같은 반이 되었다. 그래서 우리는 동아리라도 함께 하기로 했다. 2학년부터 필수로 들어야 하는 동아리는 친한 친구가 많을수록 편했다.

다른 곳은 면접이 까다로워서 영상제작부에 들어갔다. 연우는 진로와 관련된 동아리에 들어가는 게 좋지 않겠냐고 했지만, 세 명 모두 영상제작부에 간다는 말에 본인도 신청했다. 영상제작부 대부분은 다른 면접에서 떨어지고 온 아이들이었다. 그곳에는 혜림이도 있었고, 다른 친구들과 함께 신청한 동아리에 본인만 떨어졌다고 했다.

영상제작부의 수업은 영상을 제작하는 후반 활동을 제외하면 영상을 감상하는 게 주 내용이었다. 지루한 영상을 보는 건 꽤 곤욕이어서, 잠을 자는 학생들이 많았다. 잠보다 떠들길 좋아했던 우리 다섯 명은 금방 친해졌다.

그렇게 벚꽃이 다 질 무렵, 기사 하나가 올라왔다. 서울시 국회의원 모 부부가 교통사고로 즉사했다는 내용이다. 연우가 부모님의 소식을 들은 건 교통사고가 난 다음 날이었다. 새벽에 일어난 일인데다가, 긴급 연락처의 우선순위는 연우가 아니었기에 가능한 일이었다. 부모의 죽음을 가장 먼저 알아챈 건 연우가 아니라 기자들이었다.

기사가 뜨자마자 학교가 떠들썩해졌다. 쉬는 시간에 이 사실을 알게 된 연우는 담임 선생님께 불려 갔다. 연우는 또다시 소문의 주인공이 되어 학생들의 입에서 오르내렸다. 말을 걸 새도 없이, 연우는 곧장 서울에 가기 위해 가방을 쌌다. 연우네 반에 모여있던 우리가 쳐다보자, 연우는 입꼬리를 슬쩍 올리고 교실을 나갔다. 슬픈 것 같기도, 혼란스러운 것 같기도 하고, 어찌 보면 기뻐 보이는 것 같기도 했다.

연우는 일주일이 지나서야 다시 학교에 나왔다. 돌아온 연우는 평소와 똑같이 행동했다. 아니, 오히려 더 자주 웃고 더 친절하게 굴었다. 장례식은 잘 치르고 왔는지, 이제 누가 보호자인 건지, 왜 다시 돌아왔는지…, 물어보고 싶은 게 많았으나 실례가 될까 싶어 물어볼 수 없었다. 다른 아이들도 마찬가지였다. 우리는 아무 일도 없던 것처럼 행동했다.

어느 날 연우는 우리가 궁금해하던 부분을 직접 얘기해 주었다. 티를 내지 않았다고 생각했는데, 이미 알고 있었나 보다. 연우는 해외에 계신 고모, 고모부가 자신을 지원해주기로 했으며 장례식도 그분들의 도움으로 잘 끝냈다고 했다. 곧장 한국으로 돌아와 살 수 없는 상황이어서 직접적인 보호자 역할을 해주진 못하지만, 연우의 생활에 지장이 없도록 도와주겠다고 말씀하셨다 한다.

우리가 가만히 듣고만 있자, 연우는 걱정하지 말라며 웃었다.

친구들은 안 좋은 일을 당한 연우를 안타깝게 바라봤고, 이떤 친구들은 그럼에도 무너지지 않는 연우에게 대단하다는 눈빛을 보냈다.

그날 이후, 연우는 성적에도 심혈을 기울였다. 일주일 공백으로 인해 수업 진도가 잔뜩 밀렸음에도, 연우는 이번 기말고사에서 상위권을 넘어, 지금껏 못 한 1등을 차지했다.

방학이 되면 매일 방파제를 찾아가는 연우의 일과도 변함이 없었다. 이번 여름 방학에도 나는 연우를 관찰했다. 연우는 또 하염없이 바다를 바라봤다. 그러나 어느 날은 여태까지와 다른 행동을 보였다. 방파제 위에 서 있던 연우가 한 발짝 더 내려가더니 물에 들어갔다. 멀리서 지켜보던 나는 발을 헛디딘 줄 알고 급히 뛰어갔다.

물에 빠진 연우의 표정이 다급해 보이진 않았기에 가슴을 쓸어내렸다. 다친 곳은 없어 보인다. 연우가 빠진 지는 얼마 되지 않았기 때문에, 팔을 뻗어 방파제에 닿는다면 잠깐은 버틸 것이다. 나는 연우의 뒷모습을 보며 천천히 방파제 쪽으로 내려갔다.

그러나 연우는 팔을 뻗지 않고, 오히려 방파제로부터 멀어지려 했다. 방파제 근처를 벗어나자, 파도는 방파제가 아닌 다른 방향으로 치기 시작했다. 연우는 저항도 하지 않고 파도를 따라 흘러갔다. 점차 깊어지는 바다에 연우의 몸도 가라앉기 시작했다. 수영을 못하는 건지, 하지 않는 건지 연우는 미동이 없다. 그제야 심각성을 깨달은 나는 위험을 무릅쓰고 바다로 뛰어들었다.

연우는 소리를 지르며 다가온 날 보고 눈을 크게 떴다. 나는 연우의 목에 팔을 걸고는 육지를 향해 헤엄쳤다. 연우는 저항하지 않고 내 팔에 몸을 맡겼다. 나는 땅에 다다르자마자 화를 냈다.

"야, 죽고 싶어서 환장했냐? 저기가 얼마나 위험한 곳인데 물에서 발버둥도 안 쳐! 발을 헛디뎠으면 빨리 올라와야 할 거 아냐!"

연우는 당황한 듯 웃으며 말했다.

"발 헛디딘 거 아냐. 실수로 빠진 것도 아니고. 내가 들어간 거야."

"뭐? 거길 왜 들어가? 수영 잘하는 사람도 한 번 파도에 휩쓸리면 못 빠져나오는 경우가 태반이야! 바다에 잘 안 가 봐서 모르나 본데, 그렇게 함부로 들어가면 큰코다친다고."

나는 어이없다는 표정으로 말했다. 연우는 살짝 기분이 상한 듯 보였다. 여전히 웃고 있었지만, 말투에서 느껴졌다.

"나도 위험한 건 알지. 조금만 있다가 나올 생각이었어. 그냥 한 번쯤 아무도 없는 곳에 있어 보고 싶어서…. 그래서 그런 거야."

그렇게 말하는 연우의 표정이 좋지 않아서, 나는 연우 부모의 죽음을 떠올렸다. 동시에, 내 어머니의 죽음을 떠올렸다.

어쩌면 나는 완벽하게 살아온 연우에게 흠이 생겼다는 것에 위안을 얻었는지도 모른다. 혹은 우리 둘 다 의지할 누군가를 잃었다는 사실에 동질감을 얻으려 했는지도 모른다. 연우가 나와 같은 처지에 있다고, 그래서 그 아픔을 아는 나만이 진심 어린 위로를 할 수 있다고. 그렇게 생각한 나는 화내던 걸 멈추고 위로의 말을 건넸다.

"너…, 혹시 부모님 돌아가신 것 때문에 그래? 아무리 그래도 네 몸은 챙겨야지. 당장은 슬프고 외롭겠지만, 널 도와주겠다는 분들도 계시잖아. 나도 어렸을 때 엄마가 돌아가셨어. 이젠 기억도 안 날 만큼 예전에. 그러니까 너도 나처럼 잊을 수 있을 거야."

내 말에 연우는 고개를 저으며 말했다.

"아니, 슬퍼서 그런 거 아니야."

"그럼, 왜 그러는 건데? 부모님 돌아가신 뒤로 좀 이상해졌어. 너 하루도 빠짐없이 웃고 있는 거 알아? 예전엔 그렇게까지 웃지는 않았는데. 공부도 그래, 너 지금 뭐든지 강박적으로 열심히 하잖아."

"아니야, 난…."

재차 부정하는 연우에게 확신하듯 말했다.

"다른 애들은 모르겠지만, 난 알아. 넌 지금 슬픈 거야. 아주아주 슬퍼서, 잊으려고 그러는 거야."

웃고 있던 연우의 표정이 일그러졌다. 연우는 자리에서 벌떡 일어나며 말했다.

"아니야, 아니라고. 넌 아무것도 몰라. 부모님 돌아가신 거? 슬프지. 근데 그게 내 행동의 이유라고 함부로 단정 짓지 마. 넌 물에 있으려던 날 마음대로 끌어내 놓고, 이젠 내 감정까지 네가 원하는 대로 판단해?"

"뭐? 나는 그런 게 아니라…!"

연우는 인사도 하지 않고 떠났다. 나는 위로해줬더니 영문도 모르고 욕을 먹은 것 같아, 한동안 씩씩거렸다. 한편으론 정곡을 찔린 기분도 들었다. 누구에게나 친절하던 연우와는 생판 다른 모습이 충격적이기도 했다. 나는 역시 본성을 숨기고 있었던 거라며, 그 애와 다신 상종하지 말자고 다짐했다. 8월 중순의 무더위 때문에 열이 더 올랐다.

나는 남은 방학은 물론, 2학기 내내 연우와 말을 섞지 않았다. 쉬는 시간에 연우네 반을 찾아가지도 않았다. 복도에서 마주쳐도 아는 체를 하지 않는 우리를 보고 재영과 규진이 눈치를 봤다. 연우는 재영과 규진에게 미소 짓고는 쌩 지나갔다. 나도 보란 듯이 재영과 규진을 끌어당겼다. 재영이 나를 툭 치며 물었다.

"야, 너희 대체 왜 그래? 싸웠으면 대화해서 풀어야지, 언제까지 이럴 거야? 우리만 눈치 보여서 죽겠네. 네가 잘못한 거지? 연우가 시비 걸었을 리는 없고."

나는 연우 편을 드는 재영을 째려보며 말했다.

"넌 뭐만 하면 내 잘못이래. 난 좋은 의도로 말한 건데, 재가 짜증 냈다고. 난 대화할 생각 없어."

내 말에 규진이 의아한 표정을 지었다.

"연우가 짜증을 냈다고? 지금껏 한 번도 짜증 내는 걸 못 봤는데. 뭘 했길래 화를 냈대."

다시 열이 오른 나는 따지려다 말고 한숨을 쉬었다. 어차피 화해하지도 않을 거, 뭐 하러 또 얘기하리. 말을 멈춘 나에게 재영과 규진이 질문을 해댔지만, 답해주지 않았다.

제 4 장   파 도

 나는 꿈을 꾸었다.

 어렸을 때 아버지와 함께 간 해수욕장에서의 기억이었다. 그 당시 수영을 못했던 나는 튜브를 타고 물 위를 떠다녔다. 바다를 좋아했던 난 싱글벙글 웃으며 파도에 몸을 맡겼다. 잔잔한 파도가 부드럽게 나를 밀었다. 저 멀리 날 지켜보는 아버지가 보인다. 난 아버지께 손을 흔들었지만, 아버지는 나에게 손을 흔들지 않았다. 그때야 내가 아주 멀리 와 있다는 걸 알아차렸다.

 파도는 날 더 깊이 끌고 갔다. 나는 파도에 휩쓸리고 또 휩쓸려서 아무것도 할 수 없었다. 주위를 둘러보니 아무도 없다. 뒤에 부표가 있었지만, 패닉에 빠진 내 눈에는 보이지 않았다. 엎친 데 덮친 격으로 바람과 함께 파도가 점차 세졌고, 내가 발버둥을 칠수록 깊은 바다로 밀려 나갔다. 계속해서 밀려오는 거센 파도가 무서워서 눈을 질끈 감았다. 나는 약 20분이 지나서 구조되었고, 엉엉 울며 아버지에게 안겼다.

아버지는 겨우 울음을 멈춘 나에게 이안류를 조심하라고 하셨다. 이안류는 아주 거칠고 빠른 파도이니, 거스르려 하지 말고 제자리에서 받아들이라고 말씀하셨다. 이미 겁을 먹은 나는 고개를 대충 끄덕이곤, 속으로 다신 바다에 가지 않겠다고 다짐했다.

그 후로 몇 개월 동안은 아버지와 함께 배를 타지도, 바다를 보러 가지도 않았다. 아버지는 날 설득하려고 하셨지만, 완강한 내 모습을 보고 포기하실 수밖에 없었다.

그러던 어느 날, 새벽에 자던 날 깨운 아버지가 바다를 보러 가지 않겠느냐고 물었다. 아버지는 평소와 달리 미소를 짓고 계셨다. 그날따라 아버지가 왠지 다르게 느껴져서, 아버지 손을 잡고 따라나섰다.

차를 타고 도착한 바다에선 일출이 시작되고 있었다. 육지에 부딪히는 파도 소리가 마치 굉음처럼 내 귓가에 울렸다. 나는 그 소리가 듣기 싫어 귀를 막았다. 아버지는 그런 날 보시고는 말씀하셨다.

"서준아, 이 세상에 하나의 모습만 가진 건 없어. 바다도 마찬가지야. 늘 네가 보고 싶은 대로만, 원하는 대로만 존재할 순 없는 거야. 그래서 더 매력적이지."

나는 여전히 귀를 막은 채로 아버지의 말씀을 들었다.

"서준이 네가 그랬지, 엄마는 널 싫어하는 게 틀림없다고. 그래서 널 버리고 간 거라고. 지금도 그렇게 생각하니?"

나는 고개를 저었다. 어머니가 돌아가셨을 땐 너무도 원망스러웠지만, 이젠 어머니가 날 사랑하셨다는 걸 안다.

"바다도 엄마와 마찬가지야. 네가 좋아하는 바다가 널 위협하는 존재가 될 수도 있고, 네가 싫어하는 바다가 널 위로하는 존재가 될 수도 있지. 그러니까 들어봐, 서준아. 그리고 다시 생각해 봐. 넌 정말 바다가 싫어?"

나는 귀를 막던 손을 내렸다. 다시 굉음이 들린다. 그러나 아버지와 함께 듣는 소리는 불쾌하지만은 않았다.

나는 눈을 떴다. 벽에 걸린 시계가 5시를 가리킨다. 겨울의 새벽은 아직 어두웠다. 거실에서 아버지가 준비하는 소리가 들렸다. 난 아버지가 깨우러 오시기 전에 몸을 일으켰다. 나를 본 아버지는 말없이 외투를 챙겨주셨다. 원래라면 3시쯤엔 나가야 했지만, 곤히 잠든 나를 깨우기 싫으셨던 눈치다.

오늘은 아버지가 함께 배를 타자고 하셨다. 배를 함께 타고 가는 날이면 하루의 절반은 물 위에 있어야 했다. 귀찮긴 했지만 오랜만에 배를 타는 것도 좋을 것 같았다. 배를 타서도 말이 없던 아버지는 나에게 어렸을 때 일이 기억나냐고 물었다. 그땐 네가 바다가 싫다고 울고불고했다며 웃으셨다. 그 말에 난 오늘 꾼 꿈에 대해 말했다.

"안 그래도 오늘 그 꿈을 꿨어요. 그래서 그런가, 생생히 기억나네요."

아버지가 미소 지은 채 물었다.

"아직도 바다가 싫으냐?"

아버지의 물음에, 나는 잠시 침묵한 뒤 말했다.

"…싫진 않아요."

새벽에 나간 나는 오후 5시쯤에야 배에서 내릴 수 있었다. 하늘을 보니 이미 해가 지기 시작했다. 꿈을 꾼 탓일까, 왠지 찝

찝한 기분이 들었다. 무언갈 하지 않은 기분이다. 나는 무심결에 방파제 쪽으로 고개를 돌렸다. 그곳엔 아무도 없다. 그럼 그렇지, 겨울 방학이라고 해도 지금 시간엔 없을 거다. 있으면 또어쩔 셈인가, 이미 우린….

아버지가 가만히 선 나를 불렀다. 난 방파제로부터 등을 돌려걸었다. 그리고 다시 방파제를 바라봤다. 그곳에 연우가 있었다. 단 몇 초 만에 생긴 일이었다. 헛것을 봤나 했지만 연우가날 똑바로 보고 있었다. 난 아버지를 먼저 보내고 방파제로 걸어갔다. 방파제 위에 선 우리는 서로를 어색한 눈빛으로 바라봤다. 침묵 끝에, 내가 먼저 입을 열었다.

"이 시간에 여긴 왜…."

"방학 얼마 안 남았잖아. 그래서 오늘은 하루 종일 여기 있었어. 앞으로 바빠서 못 올 테니까. 아침에 안 보이더니, 배 타고 있었구나."

연우는 언제 싸웠냐는 듯 차분하게 말했다. 나는 무슨 말을해야 할지 몰라 횡설수설했다.

"아버지가 같이 배 타자고 하셔서. 아, 원래 가끔 배 타긴해. 고등학교 올라와서는 처음이지만…."

"미안해."

내 말을 끊고 연우가 사과했다. 난 당황해 물었다.

"뭐?"

"여름 방학 때, 네가 날 위로해주려고 했다는 거 알아. 그런데 그때 나도 내 감정이 뭔지 몰랐거든. 부모님이 돌아가셔서슬펐던 걸까? 아니면 기뻤던 걸까. 난 혼란스러웠어. 그런 상황에 네가 내 감정을 안다는 듯이 구니까, 그게 짜증이 났어. 화를 내지 말아야 했는데, 미안해."

갑작스러운 연우의 설명을 듣던 나는 오늘 꾼 꿈을 떠올렸다. 연우를 다그쳤던 일을 생각하니, 난 어렸을 때와 변한 게 없었다. 여전히 난 내가 원하는 대로만 보고 있던 것이다. 갑자기 얼굴이 달아올랐다.

"…나도 미안. 네가 나와 비슷한 처지에 놓였다고 해서 다 같은 감정을 느끼는 게 아닐 텐데. 당연히 나와 같을 거라고, 그렇게 짐작해버렸어."

우리는 서로 사과를 한 후 침묵했다. 연우가 다시 입을 열었다.

"내가 옛날얘기 해줄까?"

연우는 내 침묵을 긍정으로 받아들였는지, 이야기를 시작했다. 연우는 자신이 사고 치고 이곳에 온 게 맞다고 했다. 담임 선생님과의 대화를 들었던 난 그 사실을 이미 알고 있었지만 얘기하지 않았다.

옛날얘기는 연우의 이야기였다.

이름만 들어도 아는 서울시 국회의원 부부. 그들이 처음부터 유명한 건 아니었다. 새롭게 떠오르고 있던 국회의원 장근남이 인지도를 위해 필요로 했던 건 이미지 쌓기였다. 아무 논란 없이 깨끗하고 친절한, 누구도 의심할 수 없을 만큼 강력하게 이미지를 굳히는 것. 그것이 국회의원을 준비하던 장근남이 가장 먼저 한 일이었다.

장근남의 입지를 위해선 가족 또한 좋은 이미지를 쌓아야 했다. 장근남 부부는 어린 연우에게 착하게 살길 강요했고, 연우가 조금이라도 어긋나는 행동을 하면 바로 훈육을 했다. 말로

구슬리는 건 물론 체벌도 마다하지 않았다. 연우는 부모의 말을 거스를 수 없었고, 거스를 생각도 하지 못한 채 자랐다. 학생들은 대부분 연우를 좋아했으나 당연히 연우를 싫어하는 사람도 있었다. 시비를 걸던 친구는 연우가 맞서지 않자 선을 넘었고, 참지 못한 연우는 싸움을 일으켰다.

참고 참았던 연우의 화는 멈추지 않았고, 이 사건은 점차 커져 국회의원 부부의 귀에도 들어갔다. 이미지가 중요했던 부부에게 연우가 방해물이 되는 순간이었다. 부부는 물론 아들을 사랑했다. 하지만 우선순위가 아니었을 뿐이다.

부부는 연우의 사건이 미디어에 오르지 않도록, 연우를 강릉에 있는 학교에 보냈다. 강릉 학교로의 전학은 크면서 부모의 훈육 방식에 불합리를 느꼈던 연우에게도 좋은 소식이었다.

연우는 부모의 감시에서 벗어난 대신 학교에서 좋은 이미지를 유지해야 했다. 그래야 다시 돌아가지 않을 수 있었다. 이곳에서 문제만 안 일으키면, 부모님도 언젠가 나를 있는 그대로 사랑해주시겠지. 그때가 되면 행복한 가족으로 살아가자, 그렇게 생각했다.

그러나 부모님은 돌아가셨다. 그것도 내가 없는 곳에서. 내가 돌아갈 곳도 남겨놓지 않은 채 둘 다 떠났다. 연우는 자신을 억압하던 눈이 사라진 데 자유를 느꼈고, 동시에 슬픔과 혼란을 느꼈다. 나를 옭아매던 삶의 지표가 사라진 기분이었다. 연우는 더 이상 누구를 보고 살아가야 할지, 어떻게 살아가야 할지 알 수 없었다.

"한편으론 내가 벌을 받았나 싶더라. 서울에서 내가 계속 참고 싸우지 않았다면 강릉에 올 일도 없었을 거고, 부모님이 돌아가신 걸 뒤늦게 알아차릴 일도 없었을 거 아냐. 어쩌면 부모님이 사고가 안 났을지도 모르지."

연우가 내 쪽으로 고개를 돌렸다.

"나도 화내고 싶으면 화내고, 그냥 내가 원하는 대로 살고 싶었어. 그런데 내가 할 줄 아는 건 공부를 열심히 하고, 남들에게 친절하게 대하는 것뿐이야. 내가 배운 건 그거밖에 없어. 그러니 그거라도 열심히 하지 않으면 또다시 벌을 받을 것 같아서…."

"그럼, 아무도 없는 곳에 있고 싶었다는 게,"

"이젠 모든 게 날 지켜보는 눈 같았거든. 그래서 바다에 갔어. 그곳에 있으면 아무도 오지 않을 테니까. 너한테 딱 들키긴 했지만."

연우를 멋대로 끌어올린 때가 생각나, 나는 다시 미안해졌다.

"미안, 난 그런 줄도 모르고."

"아냐, 네가 말한 대로 위험한 곳이었잖아. 네가 날 보지 않았다면 그대로 휩쓸려 가라앉았을지도 모르지. 날 지켜보는 눈이 있다는 게 죽을 만큼 싫었는데, 네가 지켜보는 건 싫지 않았어. 늦었지만 고마워, 끌어내 줘서."

말을 끝마친 연우의 입에서 입김이 나왔다. 우리는 대화를 마치고 다시 작별 인사를 했다. 연우는 무언가 할 말이 있어 보였지만 내일은 웃으면서 보자며 다음을 기약했다.

그러나 다음 날이 되어도 연우는 오지 않았다. 매일 찾아가도 보이지 않았다. 연우에게 전화를 걸었지만, 핸드폰은 꺼져있었다. 개학을 하루 앞둔 날까지도 연우는 오지 않았다.

나는 3학년 교실에 들어서고 나서야 연우의 소식을 알게 되었다. 연우는 서울에서 교통사고를 당했다고 했다. 연우 부모님이 그랬던 것처럼. 의식이 없어서 서울 병원에 입원해 있단다. 나는 빈 책상 하나를 바라봤다. 연우는 나와 같은 3-4반이었다.

연우의 소식을 들은 지 3일 뒤, 연우의 고모, 고모부라는 분들이 찾아왔다. 그분들은 연우의 짐을 챙기러 왔다고 했다. 연우가 3학년이 되기 전 썼던 물품은 챙길 사람이 없어, 3학년 사물함에 갖다 둔 상태였다. 연우는 1년이 다 갈 때까지 돌아오지 않았지만, 이름을 지우지 않은 연우의 사물함은 1년 내내 교실 한구석을 차지하고 있었다.

3학년이 된 우리는 수능을 앞두고 있었으므로, 연우의 사고에 신경 쓸 겨를이 없었다. 나는 때때로 빈 책상을 보았지만, 시간이 지날수록 익숙해져 나중엔 거의 보지 않았다.

졸업식 날에는 눈이 내렸다. 연우의 자리는 여전히 비어있다. 나는 연우의 사물함을 보았다. 굳게 닫힌 사물함은 열릴 기색이 없다. 복도에서 재영이 내 이름을 불렀다. 난 꽃다발에서 꽃 한 송이를 뽑아, 연우의 사물함 위에 올려두고 교실을 나왔다. 그 겨울 돌아오지 않은 연우는 10년 뒤 겨울에 우리를 찾아왔다.

제 5 장 받아들일 준비

어느새 밖이 깜깜해졌다. 나는 도화지와 필기 노트를 챙겨 들고나와 아버지를 찾아갔다. 오랜만에 뵌 아버지는 춥다며 어서 들어오라고 하시고는 보일러를 틀었다.

"아버지, 안 추우셨어요? 보일러 좀 틀고 계시지, 집이 얼음장이네."

"집에도 별로 안 있는데 뭐 하러. 주변 구경은 잘했어? 어디 갔다가 이렇게 늦게 와?"

난 아버지께 연우의 물건을 보여드리며 말했다.

"제가 다녔던 고등학교요. 연우, 그 애 사물함이 아직도 거기 있더라고요. 그것도 복도에 혼자. 물건을 다 안 가져가서 제가 가져왔어요. 이제 슬슬 치울 때 됐잖아요."

아버지는 도화지를 펼쳐 보시더니 입을 열었다.

"가끔 그 애가 부둣가에 와서 인사하곤 했었는데. 아마 네가 연우를 지켜봤던 것처럼 연우도 우릴 지켜봤기 때문이겠지."

"제가 연우 보는 건 어떻게 아셨어요? 항상 아버지가 배 타고 가신 다음에 봤는데."

내 물음에 아버지가 장난스럽게 웃었다.

"연우가 말해줬다. 네가 하도 봐서 부담스러웠다더라."

"네? 농담이죠?"

"그래, 농담이고, 연우가 다음번엔 보지만 말고 와서 인사해달라고 전해달라 했어. 근데 나중에 들으니까 이미 인사를 했다더라."

연우는 내가 보고 있다는 걸 알고 있었다. 깜짝 놀란 게 아니라 놀란 척을 한 거였어. 그것도 모르고 뒤늦게야 인사를 한 내가 창피해졌다. 묘한 표정을 한 나를 본 아버지가 말씀하셨다.

"이제 와 뭘 창피하다고. 오랜만에 왔으니까 내일 거기 한번 가봐라. 연우랑 있던 곳."

"…그래야죠. 내일 일 가시죠? 저도 도울게요."

아버지는 됐다며 손사래를 치고는 방에 들어가셨다.

아침에 밖에 나오니 눈이 내리고 있었다. 새벽 동안 눈이 많이 내렸는지, 이미 바닥은 눈길이었다. 방파제 위에도 눈이 쌓여 미끄러워 보인다. 나는 방파제 아래로 내려가지 않고 길가에 섰다.

아무도 없는 길가에 서니, 연우를 기다리던 때로 돌아간 기분이었다. 겨울이라 그런지 바람이 세게 불었다. 바람과 함께 파도도 거칠어졌다. 거센 파도 소리는 연우와의 대화를 떠올리게 했다.

바람이 많이 부는 날, 방파제 위에 서 있던 우리는 거센 파도 소리를 들었다. 바다를 보는 데 대한 공포는 무뎌졌으나, 파도 소리가 여전히 굉음처럼 들렸던 나는 귀를 막았다.

"예전엔 이 소리가 좋았는데, 이제 듣기 싫어."

연우가 의아한 표정을 지으며 물었다.

"왜?"

"어렸을 때 파도에 휩쓸린 적 있거든. 아무리 노력해도 앞으로 나아갈 수 없었어. 파도는 점점 세지는데 내 주변엔 아무도 없더라. 그래서 저 파도 소리를 들으면 무서워. 파도가 닿지 않는 곳에 있어도 날 덮쳐버릴 것 같아서."

잠시 고민하던 연우가 말했다.

"…파도는 바람과 물의 흐름이 부딪히면서 생기는 거래. 말하자면 둘이 싸우고 있는 거지. 그 모습이 보이진 않아도, 소리를 들으면 치열하게 싸우고 있다는 느낌이 들어. 그런 파도 소리를 들으면 나까지 열심히 살고 있는 것 같아서 난 좋아해."

나는 연우의 말을 들으면서도 손을 내리지 않았다. 연우는 내게 손을 내려보라고 했으나, 난 들은 체 만 체하며 계속 귀를 막았다. 그런 날 보던 연우는 귀를 막은 내 손을 잡아 내렸다. 먹먹하게 들리던 파도 소리가 귓속으로 쏟아졌다. 연우가 내 손을 놓고는 말했다.

"네가 스스로 내리지 못하겠으면 다른 사람이 내려주면 되지. 네가 바뀌길 원하면 도와줄게. 어때? 도와줘?"

잠시 고민한 나는 고개를 끄덕였다. 언제까지고 무서워할 수는 없으니까. 연우가 파도를 가리키며 말했다.

"아직도 무서우면 의미를 바꿔보자. 파도는 여기 있는 널 위협할 수 없어. 설령 덮친다 해도 뭐 어떠냐고 생각해 봐. 또다시 거센 파도가 온다 해도 받아들여. 저항하지 말고 흘러가게

두면 넌 물에 잠기지 않을 거야."

그걸 몰라서 이러냐며 눈을 흘기자, 연우가 웃음을 터트렸다. 연우는 곧이어 말했다.

"긍정적인 생각이라도 차차 해보자는 거지. 난 이렇게 생각해. 잔잔한 파도가 쉬어가는 거라면, 거센 파도는 살아가는 바다인 거야. 그렇게 생각하면, 어떤 형태의 파도든 사랑스러워지거든."

10년이 지나도록, 나는 연우를 잊지 못했다. 나는 왜 계속해서 연우를 떠올리는 걸까. 그 이유는 연우가 친한 친구이기 때문만은 아니었다. 내가 연우를 잊지 못하는 이유는 어렸던 과거에 대한 후회와 죄책감이자, 그 아이의 아픔을 결국은 위로해주지 못했다는 데서 오는 허탈함이었다. 또, 얼마큼의 시간이 지난다고 해도 돌이킬 수 없는 것에 대한 그리움이었다.

파도를 이제야 제대로 바라보게 되었는데, 연우는 살아있지 않다. 나는 그때처럼, 다시 귀를 막았다. 멍멍해진 파도 소리가 잔잔하다. 이번엔 스스로 손을 뗐다. 날카로운 소리가 방파제에 부딪혔다.

연우가 사라지기 전날 말하려고 했던 건 무엇일까. 서울에 찾아간 일과 관련이 있는 걸까? 이젠 알 방법이 없다. 다시 만나면 웃으면서 인사하려고 했는데. 여느 때처럼 시답잖은 대화를 나누고, 이번에야말로 진짜 너를 알아가고자 했는데. 너무 늦었다.

나는 이제 연우를 놓아줘야 했다. 문득 서러운 기분이 들어, 누군가 그랬던 것처럼 의미를 바꿔보기로 했다. 너의 소원이 모든 것으로부터의 자유였으므로, 넌 죽기를 선택한 것이다. 그러니 너는 행복하겠지.

　너를 파도라 생각하자. 너는 죽었어도, 파도가 되어 살아가는 중이라 생각하자.

　네가 사랑하지 못했던 네 아픔을 대신해, 난 내 아픔을 사랑하기로 했다. 네가 좋아했던 모든 파도까지도 사랑하기로 했다.

　그렇게 다짐한 나는 파도가 덮쳐도 상관없다는 듯, 바다를 향해 양팔을 벌렸다. 귀를 한껏 열고 눈을 감았다. 어떤 형태인지 모를 파도가 나를 향해 다가왔다.

　나는 이제 준비가 되었다.

Chapter 1

취향, 화장품으로부터!

박경아

어쩌면 내 처음이,
발화점이었을 수도

처음 대학생이 되었을 때 내겐 취향이라고 말할 뚜렷한 무언가가 없었다. 그저 음악, 드라마, 아이돌, 배우 등 '예술'이라 일컬을 수 있는 모든 존재들을 편견 없이 다 두루두루 좋아하기만 했다. 구체적인 취향 없이 그것들을 우러러보았다.

그러다 나를 표현할 만한 취향이 생겼다. 무엇이든 다 좋아했던 내게 '화장품'은 거대한 파도가 되어 날 덮칠 만큼 충분히 매력적인 물결이었다.

이 글을 쓰고자 마음먹게 된 계기는 나의 사소한 경험들이 글을 읽을 누군가에게 선한 영향을 줄 수 있을 거라 생각했기 때문이다. 타인의 시선에서 혹은 내 주관에서 사소할 이야기일지라도, 그 순간에서 발견한 취향의 기쁨을 공유하고자 한다.

처음으로 맞닥뜨린 내 취향은 의외였다. 나는 평소 화려한 화장을 즐겨 하지도 않고, 어쩌다 올○ 세일이라고 하는 시기에 친구 따라 강남 가듯이, 참새 마냥 스쳐 지나가듯 친구가 추천해 주는 것만 야금야금 구매하기를 몇 번이고 반복할 뿐이었다.

솔직하게 말하면, 화장을 왜 해야 하는지도 몰랐고, 화장품을 사 모으는 친구들을 이해할 수 없었다. 가끔 미○와 같은 브랜드가 캐릭터 한정판을 낼 때 가끔 눈길이 간 적도 있지만, 그건 화장품보다는 캐릭터에 더 관심이 간 거라고 볼 수 있다.

아무도 내가 코덕이 되리라고는 상상도 못 했을 거다. '코덕'이라는 용어의 의미는 '코스메틱 덕후'의 줄임말로, 화장품을 좋아하는 사람을 말한다. 요즘은 단순히 좋아한다는 개념을 넘어서서 화장품을 사 모으고, 화장품에 관련된 모든 정보를 공유하고, 관련 팝업 스토어를 다니는 등 각종 화장품과 관련된 행사에도 많이 참여하는 사람들을 가리킨다. 이 단어는 화장품에 푹 빠지게 된 내 모습을 정의하기에 충분하다.

내가 화장품에 관심을 가지게 된 건 우연한 계기였다. 나도 나를 잘 몰랐기에 이런 변화가 나타날 줄 몰랐기도 했다. 되짚어 보자면, 작년 10월 또는 11월이었던 것으로 기억한다. 지금 다시 올○ 앱을 켜보니 받은 게 너무 많아 예전 기록이 사라져 버렸다. 앱을 너무 믿은 탓이다.

그건 참 안타까운 일이었다. 내가 무엇을 확인했는지 궁금하지 않은가. 올○에 몇 십만 원, 몇 백만 원 이상을 쓴 사람이면 어느 정도 눈치챘을만하다. 힌트를 주자면, 한 달에 한 번 매달 둘째 주차 목요일 또는 금요일, 현재에는 보통 둘째 주차 금요일 날에 진행하는 올○의 빅 이벤트다.

올○은 이 이벤트에서 한 달에 한 번 4가지 품목의 신제품을 올챙이들에게 무료 배송과 함께 제공한다. '올챙이'의 의미는, '올○ 라이브를 챙겨보는 이들'이라는 말의 줄임말이다.

여기서 '올○'은 길에서 흔히 발견 가능한 '녹색 동그라미 로고의 드럭 스토어'를 필자가 간접적으로 부르는 말로 이해해 주면 좋겠다. 이후에 나올 브랜드도 구체적인 상호명은 밝히지 않기로 한다.

'올○ 신상 티켓팅'은 자금이 부족한 코덕, 특히 나와 같은 학생 코덕들에게 쏠쏠한 재미가 되어준다. 그 이유는 배송비도 안 들고, 좋아하는 화장품을 무료로 받을 수 있어서다. 선착순 신청 이벤트이므로 손가락 마디마디의 운동만 열심히 하면 되는 일이다. 즉 눈보다 손이 더 빠르면 상당히 유리하다.

평소 티켓팅에 감각도 없고 경험도 0에 가까운 터라, 처음엔 남들이 당첨되는 댓글만 바라볼 수밖에 없었다. 그러다가 오기 도 생겼고, 혼자서 핸드폰에 대고 화를 내기도 했다. 애초에 공짜로 무언가를 바라는 요령을 피우는 건 그때까지 없었던 것 같다. 물론 지금도 그렇기는 하지만 나도 모르는 사이 요령 아닌 비법은 생겼다.

한 달에 단 한 번씩 오는 기회를 잡기 위해 일단 처음 한 달은 구경하는 데에만 급급하며 지나갔다.

그렇게 만 한 달이 지나갔을 무렵, 내 빠른 손가락은 빛을 보기 시작했다. 1개가 당첨이 되었다. 그러다 다음 달은 2개, 2개, 2개, … 몇 달 뒤에는 3개가 당첨되기도 했다. 운명의 장난인지 아쉽게도 4개 모두 당첨된 적이 한 번도 없다.

세상에는 공짜가 없는 법! 무료 배송까지 해주는 대신 올○이 요구하는 기간 안에 후기를 남겨야만 한다. 후기를 기간 내에 올리지 못하면 다음 달에 이뤄질 올○ 신상 티켓팅에 바로 배제되어 버린다. 무시무시한 조건 사항이다.

처음으로 티켓팅을 성공해 그 맛을 보기도 잠시, 나는 정성스러운 후기를 남기기에 바빴다. 제품을 들고 사진을 요리조리 찍어보기도 하고, 어떤 제품은 1주일을 계속 발라줘야 여드름 진정에 좋다고 하여 반복적으로 사용한 후 후기를 남기기도 했다.

그때는 단순히 좋았다. 좋아하는 브랜드의 제품을, 그것도 신상인 제품을 무료로 얻을 수 있다는 것만이 한 달에 한 번 나를 설레게 만들어줬다. 어른에게 크리스마스 또는 어른이날이 있다면 이런 기분일까.

내가 본격적으로 올○ 신상 티켓팅에 참여하면서부터는 좋아하는 것들을 화장품만으로 제한하지 않았다. 각종 생필품도 눈에 들어오기 시작했다. 비타민, 레티놀, 괄사 비누, 치약 칫솔 세트 등, 약부터 구강용품에 해당하는 생필품들도 품목에 포함되어 있었다. 그마저도 좋았다. 뭐든지 당첨되기만을 바라며 눈을 부릅뜨고 라이브 내에서 선착순 오픈을 알리는 종소리가 울리기만을 기다렸다.

그렇지만 뭐니 뭐니 해도 화장품이 1순위이다. 가끔은 이 종소리가 메아리처럼 울리기도 한다. 최근에 내 귀를 돌고 도는 중독적인 소리 중 하나다.

중독적인 소리는 내게 알린다. 내가 그 처음에 홀딱 반해 빠져 버렸다는 것을. 이제 그 소리는 어떤 다른 신선함이 찾아오지 않는 이상 내 귀에 계속 자리를 잡고 있을 것이다.

화 장 품 을 모 으 는 이 유

  반복적으로 올○의 이벤트를 즐기다 보니 나는 어느새 올○을 정복하기 시작했다. 올○ 사업, 유튜브 콘텐츠들까지도 말이다. 특히 유튜브 콘텐츠는 나와 같은 화장품 업계를 희망하는 취준생에게 인사이트를 제공한다. 예를 들어, 어떤 업무에서 어떤 능력이 요구되는지도 알려주고, 현직 올○ MD가 추천하는 올○ 추천템, 올○ 직원들의 파우치나 가방 등을 털어서 적극적으로 정보 공유를 하는 콘텐츠들도 보여준다.

  솔직히 올○ 직원들에게서 자주 보이는 제품들은 이미 앱 내에서도 상위 랭킹 순위에 올라와 있는 것들이 대부분이다. 그렇지만 의외로 안 알려지거나, 그들만 알고 숨어서 쓰는 아이템들을 발견할 때면 나도 모르게 희열을 느낀다. 그러다가 몇 번씩 재구매한 아이템들도 꽤 많다. 플랙커○ 치실이 그중 하나다. 또 아이브로우 젤을 잔머리에도 쓸 수 있다는 새로운 용도에 관한 유용한 팁도 얻을 수 있었다. 현직자들이 어떻게 자신의 필요에 맞게 쓸 수 있을지 알려주는 것 또한, 소비자인 내가 하나의 제품을 깊이 받아들일 수 있는 방법을 제시하는 것과 같다고 생각한다.

또한 실제 올○ MD(훈D)가 연예인을 초청해 그들의 일생을 나열하고, 마지막에는 그들의 앞날을 위한 마음과 함께 올○ 제품을 추천해 주는 큐레이션 콘텐츠도 만들었다.

올○은 꼭 뷰티만 다루는 콘텐츠에 한정되지 않고, 음악과 관련한 콘텐츠들도 만들고 있다. 최근에 가장 기억나는 건 내 최애 아티스트인 '죠지'와 함께 그의 음악과 올○ 직원들의 고민을 연결해서 '사람'의 이야기를 나누는 내용의 콘텐츠이다.

사람에 관한 이야기를 너와 나 모두가 공감하고, 결국 소비자들의 공감을 살 수 있는 스토리로 풀어냈다. 마치 이 회사에 들어오면 너희들도 한 사람으로서 대해주고, 뷰티뿐만이 아니라 음악도 쟁취할 수 있다는 메시지를 툭 던져준다는 느낌을 받았다.

요즈음 나와 같은 예민한 소비자들을 건드리기 위해서는 친근감이 필요하다. 그런데 올○은 그걸 잘 활용해 자체 유튜브 콘텐츠에 잘 녹여내고 있다. '올○ 신상 티켓팅'이라는 이벤트 말고도 올○의 전체적인 이미지를 상승시켜 주는 이벤트들이 다양하다.

그러다 보니, 심하면 1주일에 한 번씩 올○에서 제품을 구매한다. 특히 내게 올○의 정기적 세일 3·6·9·12월을 제외한, 매주 '월요일'은 쉽게 동요되지 않는 내 심장을 두근거리게 만드는 날이다.

올○은 주마다 프로모션을 하는데, 주로 월요일에는 신상을 게시하거나 건강 케어의 날, 푸드의 날 이런 식의 콘셉트를 잡아 집중적인 프로모션을 진행한다. 이때 구매하면 가격적인 면에서 싼 편이라 이득이다. 그뿐만 아니라 기획세트를 구경하는 재미가 쏠쏠하다. 즉 기획 세트 맛집이다. 나는 주로 가격도 중요하게 보지만, 반짝이는 기획 세트에 크게 눈이 돌아간다.

기획 세트를 잘 골라 현명한 소비도 할 수 있고, 화장품 MD라는 훗날의 꿈 또한 기획 세트를 기획하는 일을 중점적으로 하고 싶다. 내가 가진 소비 습관을 소비자에게 전달하기 쉽다고 판단했기 때문이다. 기획 세트를 다수 접해본 소비자의 입장에 서서, 소비자가 진정으로 원하는 기획 제품을 구성해 낼 자신이 있다.

다시 돌아와 이렇게 두근거리는 '월요일'을 매달 맞이하다 보니 화장품이 계속 늘어났다. 조금씩 필요한 것 위주로 모아두고 모아뒀다가 방의 한쪽을 내줘야 하는 상황이다.

왜 나는 이렇게 집착하듯이 화장품을 모으는 걸까. 전술했듯이, 나는 화장품에 빠져 화장품 사고 모으기를 좋아하는 사람에 속한다. 자·타칭 '코덕'이다. 누군가 아이돌이나 배우를 좋아할 때, 나는 화장품을 덕질하고 있다. 팬들이 자신의 우상을 바라볼 때 웃음과 생기를 얻듯이 말이다. 내게는 화장품을 찾아보거나 만지며, 새로운 제품군이 나올 때는 빠른 구매 및 리뷰를 찾아보는 일이 삶의 활력 중 하나이다.

때로는 광기 어린 눈으로 화장품에 빠진 나를 그저 '덕후'라는 단어 표현으로 한정 짓는 건 역부족이라고 생각한다. 나의 애정 어린 관심이 광적인 모습으로 표출된 결과일 뿐이다. 그저 나만의 화장품을 대하는 진실한 모습이지 않을까 싶다.

화장품을 매주 한 번씩 사는 것도 힘든 일이다. 내가 돈 걱정 없는 부잣집 딸이었으면 참 좋았겠지만 현실은 아니니 금전적인 부분을 해결해야만 했다. 그래서 교내의 공모전도 나가보고, 교외 활동도 하면서 조금씩 돈을 모았다. 그리고 앰플 관련 화장품 공모전도 나가보기도 했다. 그 공모전에서는 안타까운 결과를 맞이했지만 다른 공모전들의 타율은 좋았다.

그러나 그것 또한 한계가 있었다. 언제까지 많은 시간과 노력을 투자하는 공모전만으로 빠르게 변화하는 화장품의 세계를 감당할 수는 없었다.

그러다 생각해 낸 게 화장품을 좋아하는 나를 위해 온라인 공간을 하나 만드는 것이었다. 그동안 귀찮기도 하고 뭔가를 올리는 것에 취미가 없어서 미뤄왔었다. 그렇지만 처음으로 좋아하는 것이 생기면서 그 귀찮음을 행동으로 옮겼다. 결국 개인 SNS 계정 말고, 뷰티를 위한 인스타그램 계정을 개설했다.

처음엔 사진도 잘 못 찍고 영상을 편집하는 데 어눌하고 서툴렀지만 시작하다 보니 증가하는 팔로워 수, 댓글과 좋아요와 같은 반응을 몇 시간마다 체크하는 일이 흥미로웠다. 꾸준히 올리는 게 습관이 되어 게시물은 점차 늘어났고, 사소한 것들까지도 거침없이 기록할 공간이 되었다.

한편으로는 이러한 경험들이 쌓여 나중에는 화장품 협찬까지는 아니지만, 품평단을 통해 여러 브랜드의 화장품을 접할 수 있는 계기가 되었다. 이제는 화장품을 많이 사지는 않아도 모을 수 있게 되었다.

그런데 내게는 독특한 면이 있다. 화장품을 좋아하지만 내 얼굴에 화려하게 하는 걸 선호하지 않는다. 왜 그럴까? 나도 처음엔 화장하는 것을 좋아했다.

마치 권태기를 겪듯이 이제는 화장을 하기 싫어지고 거울 보는 것도 귀찮고, 제품 리뷰 쓰는 일도 예전만큼 기쁘지 않았다. 그래서 나는 기본에 충실하기로 했다. '토너-세럼(로션)-선크림-아이브로우-립' 이 단계가 끝이었다. 어떤 날은 눈썹도 안 그리고 다녔다.

모든 게 다 귀찮고 싫증이 나는 순간도 가끔 있었다. 그래도 신상품이 나왔다는 소식을 들으면 또 신이 나서 몇 시간 동안 온라인 몰이나, 오프라인 매장을 뒤적거리기 일쑤였다.

나도 참 나다. 오르락내리락 거리는 공기를 맞으며 롤러코스터 타는 기분으로 왔다 갔다 했지만 결국 이 화장품이라는 세계의 달콤한 맛을 쉽사리 끊어낼 수가 없었다.

화장품을 공부하다

뷰티 인스타그램을 운영하다 보니 내가 정확히 모르는 제품을 발견했다. 어떻게든 모르는 건 공부해서 알아내야만 마음이 편한 나였기에 다양한 라인의 화장품을 차근차근 공부하기로 마음먹었다. 아무것도 모른 채로 덕질을 시작할 수는 없다. 텍스트, 그림보다는 영상이 더 빠르고 쉽게 익힐 수 있는 수단이라고 여겨 '○튜브'를 켰다.

우연히 '효진○'라는 뷰티 ○튜버를 알게 되었다. 나와 같이 여드름성 피부에 민감성을 가진, 아무거나 함부로 못 바르는 분이었다. 정리하면 피부가 잘 뒤집어지는 개복치 피부를 가진 분이다. 올○ 메인 매대를 보면 그분의 얼굴이 항상 놓여 있기에 나도 모르게 신뢰가 갔다. 말을 잘하시는 분이라 그런지, 처음에는 메이크업 단계를 확인하기보다는 그분의 에피소드에만 집중해 보기 시작했다. 그런데 확실히 올○과 협업 프로모션을 자주 하는 ○튜버라 그런지 올○ 세일에 대한 정보, 오늘의 특가(=오특)에 대한 정보를 쉽게 얻을 수 있었다.

그분의 영상만 하나둘 보았음에도 효진○ 말고 뷰티 관련 다른 분들이 내 ○튜브 피드에 겹겹이 쌓여 나갔다. 무서운 알고리즘, AI의 알고리즘이란 무시무시하다.

다양한 피부 타입을 가진 사람들도 있었지만 특히 내 피드에 자주 언급 및 추천되는 영상은 따로 있다. 주로 '수부지' 즉 피부에 수분이 부족한 지성을 말하는데, 피부의 겉은 기름이 많고 피부 속에서는 건조함을 느끼는 피부 타입을 의미한다. 그리고 민감성, 여드름성, 트러블 피부 등 나에게 적합한 또 약간은 부정적인 키워드들이 가득 차 있다. 나와 같은 피부는 클렌징부터 바꿔야 한다. 또는 기초 흡수를 잘해야 한다는 것부터 시작해 클렌징 제품과 기초까지 무수히 많은 브랜드들의 제품을 말해줬다.

나는 두피부터 피부까지 싹 다 지성인데다 그중 피부는 엄청나게 예민하다. 두피보다는 피부에 난 불부터 먼저 꺼야만 했다. 머리는 샴푸만 바꿔도 어느 정도 변화가 일어났기 때문이다.

우선, 화장을 지우고 나서도 촉촉하면서 속건조를 잡아줄 클렌징 제품이 필요했다. 어느 ○튜버라고 언급하기보다는 그분의 말을 상기해 보면 지성 피부는 '기름은 기름으로 다스려야 합니다. 지성 분들은 무조건 클렌징 오일을 쓰세요.' 라는 식으로 막했다, 이때부터일까. 피부가 더 민감해지고 트러블이 더 나기 시작한 게.

나만이 공감할 수 있는 부분이 하나 있다. 내가 클렌징 오일을 쓰고 뒤집어지는 경험을 할 때쯤 클렌징 트렌드가 바뀌었다. 지성 및 예민한 피부는 무조건 클렌징 밀크와 약산성 클렌징 폼으로 이중 세안을 해야 한다는 것이다.

그때부터 ○튜버들은 비슷한 영상들을 올리기 시작했고, 홈케어만으로 해결할 수 없는 여드름에 난항을 겪다가 다니게 된 피부과 원장님에게도 들은 말이다. 클렌징 오일은 기름이 주원료라 오히려 유화 과정이 오래 걸린다고 한다. 완벽히 기름기를 제거하지 않으면 좁쌀 여드름처럼, 내 피부를 간지럽힌 자잘한 여드름들을 유발하는 데 근본적인 원인이라고 한다.

이 트렌드를 좀 빨리 읽었더라면, 또는 피부과를 얼른 방문했다면 지금쯤 얼굴 한 편에 남아있는 트러블의 1/3쯤은 사라지지 않았을까.

그렇지만 남아있는 흔적은 또 다른 점을 말해준다. 나에게 새로운 경험치를 제공한다. 정확하지 않은 정보만을 믿은 채 행동하면 안 된다. 결국 내가 화장품에 대해 잘 모르고 있었다. 아마도 뷰티업계 내에서 제품을 파는 게 주된 마케팅 목표이기에, 그 속에서 얇은 귀를 가진 나는 허우적거리고 있었던 것이다.

또 모든 좋은 화장품들이 내게 다 맞을 수는 없다. 리뷰가 9999개 이상이고, 후기가 전반적으로 좋다고 한들 내게 안 맞을 수 있다는 사실을 몰랐다. 요즘 제품들이 웬만한 것들은 다 잘 나오는 추세이고, 자기에게 잘 맞는 제품을 찾는 일은 더욱 어려워졌다.

마케팅 메시지는 모든 제품을 다 경험해 보고 싶게 나를 끌어당기는 힘이 있다. 그 유혹의 힘에서 벗어나기 위한 노력은 아직까지도 진행 중이다.

그래도 어떤 식으로 화장품을 대해야 할지 알 수 있었고, 인스타그램을 운영하면서 브랜드의 제품군을 식별하는 것이 수월해졌다.

화장품은 내게 어떤 의미

나는 틴트 맛집으로 유명한 색조 브랜드 롬○에서 나온 화장품 덕후들의 온라인 공간인 코○에 가입했다. 가입하자마자 첫 펀딩을 시작했다. 첫 제품은 미니 글로스와 미니 틴트였다. 이 또한 올○처럼 선착순으로 포인트를 걸어 펀딩을 하는 거다.

주로 단종이 된 제품들, 아직 출시 전인 제품들, 또는 출시하고 싶었으나 미출시 색조 제품들이다. 그리고 코○이라는 플랫폼을 통해 신제품을 먼저 받아 품평하는 일과 코덕을 위한 사소한 정보 공유를 주로 한다.

품평단을 하면 제품을 미리 받아볼 수 있다는 점이 마음에 들었다. 그리고 내 후기가 올라가면 그것들을 토대로 사람들이 신제품으로 적합한지 아닌지를 따져 또 한 번의 펀딩을 통해 제품이 탄생된다. 품평단은 정식 출시 전의 상품을 만나보는 것이므로 샘플 용기에 담아서 제품이 온다. 내 후기가 선한 영향력이 되어 소비자의 마음에 안착한다면, 또다시 펀딩을 통해 정식 제품 용기로 제품의 출시를 맛볼 수 있다.

대학생의 입장으로서 화장품 회사들이 어떤 형식으로 색상을 결정하는지 배우고, 기획 세트 구현 및 출시라는 전 과정에 다가가기는 쉽지 않았다.

그러나 코○을 통해서 MD와 BM이 하는 일을 어느 정도 알 수 있었다. 무엇보다도 직접 품평단을 했던 색이 내년 1월 중에 출시될 예정이라고 하니 더 기대되고 그 순간이 흥미로웠다. 그리고 모든 이들이 원해야 한 가지 컬러가 나올 수 있다는 진심이 담긴 과정들을 보면서, 화장품을 단순히 좋아하는 데에서 끝나는 게 아니라는 것을 알 수 있었다. 화장품 개발에 도움을 주고 노력하는 수많은 사람들의 열정과 수고가 정말 대단하게 느껴졌다.

화장품에 빠지게 되면서 화장품 MD를 꿈꿨다. 그러나 코○의 펀딩에서 얻은 경험을 통해 MD가 된다면 앞으로 화장품 소비자를 매료시킬 방식에 관한 새로운 정의가 필요하다. 단순히 내가 예뻐서 잠재 소비자들이 무조건 사게 만드는 것이 아닌, 내가 경험해 얻은 것들을 소비자들이 공감할 수 있도록 소구하고, 그 경험을 나눌 수 있도록 제품을 대하는 방식을 가져야겠다.

화장품은 나에게 있어 어떤 존재인지 되짚어 볼 때가 온 것이다. 처음엔 '전리품'과도 같았다. 오돌토돌하고 붉은 내 결점들을 가리는 데에서부터 시작했다면 이제는 기능성까지 욕심낼 수 있다. 그러나 그동안의 안정화된 피부를 너무 믿는다면, 큰코다친다. 내게 맞는 화장품을 놓치고 기능성을 위해 다른 부작용을 야기하는 제품에 손을 댈 위험이 있다.

기본에 충실하기로 했다. 기능성 제품에 대한 욕심을 버리고 내 자연스러운 얼굴의 결점을 드러내기 시작했다. 드러낸다는 것의 나의 진짜 낯 즉 '민낯'을 드러내는 일이다. 그것의 기본이 되는 게 '기초 케어' 제품이다. 기초 제품부터 꾸준히 맞는 제품을 쓰고, 얼굴에 불필요한 색을 덜어내는 것이다.

적지 않은 돈을 모아 화장품에 쓰고 경험하면서 기본이 제일 중요하다고 생각했다. 단순히 색을 사용해 화려한 화장으로 피부를 덮어내기보다는 결점을 어느 정도 드러내되 본연이 갖고 있는 피부색과 눈썹 본연의 결을 드러내기로 마음먹었다.

선크림을 통해 적당한 피부의 결을 정리해 주고, 아이브로우 젤을 통해 눈썹을 세워 자연스러운 털을 강조한다. 이게 내 화장법의 기본 타입이다. 색조 아이템을 보면 가슴이 몽글몽글하니 전 애인을 만난 기분도 든다. 그런데 색을 더하면 더할수록 내 이목구비는 부정확한 형태가 된다. 이 점이 내가 화장을 화려하게 하지 않는 이유이다.

코덕인지 아닌지 의문이 들 수도 있다. 그러나 코덕이라고 무조건 자신의 얼굴을 다양한 색으로 치장할 필요는 없다. 이와 관련해 '아이소○'라는 브랜드는 <민낯을 드러내자>라는 캠페인을 카피로 내서, 이에 어울리는 자연스러운 화장을 선호하는 김민하 배우를 모델로 선정했다. 그 브랜드 자체에서도 코덕은 분명히 있을 것이다. 본연의 아름다움을 나처럼 덜고 더는 스킨 케어에 집중한 것으로 본다.

나 또한 본연의 아름다움을 강조하는 코덕의 한 사람으로서 봐주기를 원한다. 남들의 시선에 굴복하고 싶지는 않으나, 늘 타인과 함께 살아가고 타인들 중 내 지인이라고 칭할 만한 그들이 내 꿈을 물으면 이렇게 답해왔다. 나는 본연의 화장을 좋아하고, 내 이목구비를 가리지 않고 드러내는 코덕의 한 사람일 뿐이라고 말이다.

그러면 사람들은 말한다. '참 특이하네. 그러게 의외네. 신기하네.' 라는 대답이 돌아온다. 나는 이 말을 들으면 혼란스럽기도 하다. 내가 코덕이지만, 일반적인 코덕인지 의문이 든다. 코덕이라면 다 화장을 짙게 하고, 수수하지 않아야 하는가.

나는 이 문장을 음미할 독자들에게 묻고 싶다. 과연 나의 생각이 코덕이 아니라고 부정할 수 있는지를 말이다.

내가 이러한 물음을 이 글을 읽어갈 독자들에게 던진다는 이유는 나 자신도 혼란스러워서다. 인간이기에 싫증이 날 때도 있지 않은가. 화장품에 정신이 팔려있는 나를 저 멀리 제삼자의 모습에서 돌아볼 때면 신기하기도 하다.

그런 내 모습에서 나는 또 다른 혼란을 겪게 된다. 나는 왜 이럴까. 왜 이래야만 할까. 들려오지 않는 대답을 향해 외로이 아우성칠 뿐이다.

화장품 MD가 내 미래라면

　나는 꿈의 갈림길에 서 있다. 화장품 MD가 된다면 기초로 갈지 혹은 색조 화장품 브랜드로 갈지에 대한 고민이 있다. 기초는 나에게 있어 지금의 관심사이지만, 색조는 오래전부터 동경, 갈망했던 영역이다. 굳이 퍼센트로 나타내자면, 53퍼센트 대 47퍼센트이다. 기초가 더 우세하다. 그 이유는 내가 꿈꾸는 미래가 있어서다.

　'신이어마○'이라는 사회적 기업이 있다. 폐지를 줍던 노인분들과 2030 세대가 함께 일한다. 시니어 분들은 제품을 제작하거나 포장 활동을 한다. 그 이전에 2030 세대가 아이디어 제시 및 제품을 기획하며 같이 일한다.

　최근에 '스킨푸○'이라는 스킨케어 브랜드와 2차 협업을 했다. 첫 번째 협업 때는 품절되어 구매에 참여하지 못했다. 그러나 최근 11월에는 정오로 바뀌자마자 구매에 성공했다.

주된 구성품은 스킨푸○의 대표 스킨케어 제품인 당근패○와 할머니들이 만든 키링. 할머니들에겐 손주 뻘인 2030 세대에게 말하고 싶은 덕담이 적힌 립밤과 핸드크림이 들어가 있다. 패키징 전체가 할머니들의 손글씨로 표현된 거라 전체 패키징 모두가 소중한 결과물이다.

이렇게 브랜드와의 협업이 이슈화가 되고, 이 제품을 직접 받아보고 나니 하고 싶은 일이 명확해졌다. 사회적 기업과 협업해 스킨케어 브랜드가 주는 이미지와 연결하고 싶어졌다. 무엇보다도 기획 세트를 만드는 일을 하고 싶어서 이와 같은 사회적으로 선한 영향을 주는 일을 만들어내고 싶었다.

어르신(주로 할머니)들이 손수 적어낸 글씨와 그림들, 하나하나 실을 끼워 만드신 키링이 내 마음을 따뜻하게 만들어준 경험이 소비자인 내게 쉽게 잊히지 않는다. MD도 MD이기 이전에는 소비자이다. 소비자의 마음을 더 잘 알 수밖에 없는 이유도 여기에서 시작된다.

다시 돌아와서 현재로서의 나는 기초 브랜드에 더 많은 관심이 향해 있다. 그렇지만 훗날 다시 색조의 세계에 빠져 비슷한 색의 새도우 팔레트를 사 모으고 있을지도 모른다. 현재 나의 모습에 집중했을 때는 비등비등한 선호도를 가지고 있다. 그렇지만 결국 아직까지도 화장품에 대한 열정과 사랑이 넘친다는 건 분명하다. 화장품에 대한 애정을 갖고 있는 사람을 '코덕'이라고 칭하는 게 낯설지는 않아 보인다. 우리는 '코덕'일 수도 아닐 수도 있다. 또 다른 분야의 덕후일 수도 있다.

어떤 관심사에서든지 '덕후'라는 개념은 살아가는 데 중요하다. 먼저 내게는 살아가는 원동력이자 미래를 그릴 이유로 작용한다. 비슷한 일상을 살아가는 건 지루한 일이었는데 이제는 하루하루마다 새롭게 나오는 화장품들, 또 신생 브랜드를 찾아보고, 체험단에 신청해 다양한 제품을 피부로 경험해 보는 일은 나를 살아가게 할 원동력이 되었다.

과거의 나는 하루살이처럼, 하루를 견디는 것에만 급급했는데, 이제는 웃을 여유가 생긴 거다. 화장품을 보고 즐거워하는 모습, 화장품에 대해 설명하면서 입가에 미소를 띠고 있는 내 모습이 쉽게 지워지지 않았으면 한다. 누군가의 처음도, 끝도 소중하지만 처음의 경험이 또 다른 처음을 낳을 수도 있다. 다시 말해, 계속 이어져 삶에 큰 영향력을 줄 수 있다는 말이다.

우연히 화장품을 처음 경험한 순간이 희미해지지 않도록 빛나는 것들을 어떻게 표현해 내야 할지는 내 미래에 달려 있다. 그것은 내게 있어 충분한 목적지이다. 목적지는 이미 정해져 있으니 열심히 달려가기만 하면 된다.

목적지를 설정하는 이유는 단 한 가지다. 현재의 내가 미래의 나를 만나게 해 지금 가지고 있는 꿈보다 더 크나큰 꿈을 키우기 위함이다. 늘 눈앞에 놓인 '현재'를 살아가느라 '미래'를 그리는 게 불확실했고, 그리기를 회피했다. 그러나 처음 화장품에 본격적인 관심을 가지면서 미래의 진로, 직업을 고민해 볼 수 있게 되었다.

현재로서는 화장품 업계의 MD를 꿈꾸지만 MD가 아니더라도 화장품에 대한 관심을 표현할 수 있는 나만이 할 수 있는 일을 찾아가고 있는 중이다.

팝업 스토어의 성지인, 성수동을 방문해 대기업 브랜드부터 인디 브랜드들이 여는 뷰티 팝업에 초대받거나 직접 찾아가 현직자와 만나 대화하기도 한다. 또는 나와 같은 마음으로 뷰티업계에 꿈을 꾸는 이들과 자신의 경험들을 공유하기도 한다. 실제로 사람들과의 만남이 곧 변화하는 트렌드를 어떻게 활용할 수 있는지 알 수 있어서 도움이 많이 된다.

연말에는 내가 2년 전부터 가장 가고 싶었던 행사인 2023 올○ 페스타 어워즈를 갈 예정이다. 칼 같은 티켓팅 마감으로 인해 티켓팅 기간 3일 동안 가지 못할 것 같은 불안감이 찾아왔다. 그러나 다행히도 마지막 날 티켓팅에 성공했다. 2023년 1년 동안 어떤 제품들이 소비자에게 많은 사랑을 받았는지 확인하는 행사이다. 더욱이 내게 있어 각 어워즈 제품으로 선정된 브랜드 부스에서 어떤 콘셉트를 잡고 있는지 볼 수 있는 중요한 날이다.

이렇게 한 걸음씩 움직이며 꿈에 다가갈 예정이다. 어느 누구나 단숨에 꿈을 이루기가 어려울 건 분명하다. 그럼에도 초심을 잊지 않고 내 갈 길을 향해 달려가라고 스스로에게 말하고자 한다. 방황도 길이니 방황도 해 보고, 휴식도 가지면서 내면의 목소리에 좀 더 귀 기울이기를 바란다. 이건 '나' 뿐만 아니라 '독자들'에게도 해당되므로 훗날 도움이 될 말한 말이기를 바란다.

화장품은 나에게 수많은 고민을 안겨주기도 했지만, 그만큼 화장품을 좋아해 왔던 시간이 값지기도 했다. 저항할 수 없을 만큼 매력적인 '화장품'이라는 드넓은 파도에, 나는 여전히 한쪽을 차지하기 위해 허우적거리고 있을지언정, 그 곁에서 머무르고 싶다. 그 움직임이 쓸모 있음을 보여주는 파도로 만들고자 한다.

Chapter 2

밴드 네버 다이!

양 혜 인

날 때부터 락 수저

　다들 좋아하는 음악 장르가 하나쯤은 있기 마련이다. 올해로 16년째 보는 친구는 케이팝을 자주 들었고, 어릴 적 다녔던 태권도 관장님은 벨 소리로 설정할 만큼 발라드를 좋아하셨다. 내 동생은 힙합을 좋아했고, 고등학교 2학년 담임 선생님은 팝송만 듣는 소나무 같은 취향이 있으셨다. 나는 그들과 달리 여러 종류의 음악을 즐겨 들었는데, 그때부터 지금까지 꾸준히 관심을 가졌던 분야를 하나 꼽자면 바로 밴드다.

　엄마 말씀에 따르면 나는 세상에 나오기 전부터 밴드 음악을 들었다고 한다. 보통 임산부들은 태교 음악으로 클래식이나 재즈를 듣곤 하는데, 록과 헤비메탈을 좋아했던 엄마의 영향으로 Scorpions의 Holiday를 들으며 자랐다. 다른 친구들이 TV 앞에 앉아 뽀로로를 볼 때도 나는 엄마가 라디오로 틀어주는 부활 노래를 들으며 과자를 먹고는 했다.

　우리 가족은 내가 중학교 1학년이 되던 해에 지금 살던 집으로 이사를 왔다. 우리 집 안방에는 화장실로 통하는 문이 하나 더 있는데 그곳에서 아빠 것으로 추정되는 기타 가방을 하나 발견한 적이 있었다. 가방에는 몇 줄인지는 기억나지 않지만 아이보리 색 바디의 예쁜 기타 하나가 들어있었다. 당시의 나는 기타 종류 중 통기타 딱 하나만 알고 있었고, 베이스와 기타를 구분해낼 줄도 몰라서 아빠가 치던 악기를 막연하게 기타의 종류 중 하나이겠거니 생각한 채 8년 정도가 흐르게 되었다. 올해 추석 할머니 댁에 가는 길에 갑자기 생각이 나서 여쭈어보니 아빠가 젊었을 적에 취미로 연주하시던 베이스 기타였다는 이야기를 듣게 되었다. 그리고 동시에 아빠의 어린 시절 이야기를 들을 수 있었는데, 고등학생이었던 아빠는 기타 치는 걸 무척이나 좋아해서 학교도 가지 않고 몰래 숨어 기타를 치다가 할아버지에게 걸려 자주 혼나고는 하셨다 한다. 나도 몰랐던 아빠의 어릴 적 이야기를 듣는 기분이 새로웠고 내가 지금 밴드를 좋아하는 것이 아마 이런 부모님의 영향을 받은 것이 아닐까 하는 생각이 든다.

낭만 추구 청소년

어릴 적의 나는 호기심도, 하고 싶은 것도 많았다. 그런데 끈기 있는 편은 아니어서 한 가지 일을 오랫동안 하지는 못했다. 가장 오래 했던 건 피아노였는데, 초등학생 때 처음 배우기 시작했다. 거의 전국의 초등학생 대부분이 거쳐 가는 필수 관문 중 하나가 바로 피아노 학원일 정도로, 친구들이 많이 다닌다는 점도 좋았지만 어린 나의 눈에는 악기를 다룰 줄 안다는 게 멋있어 보였다.

나는 매일같이 피아노 학원에 가서 교재의 사과를 칠했고, (피아노 학원에서는 연습곡과 연습 횟수를 정하여 한 번 연습할 때마다 교재 안의 사과 그림을 칠하도록 했다.) 피아노 연습을 하고 싶어서 수업이 없는 날인데도 학원에 가고는 했다. 덕분에 친구들도 많이 사귀었고, 작은 대회였지만 나가서 상도 받았다. 그렇게 3년 동안 피아노를 배우고 중학교에 갈 무렵, 학업에 집중해야 하는 데다가 하교 시간이 늦어 학원을 다니기엔

무리라는 생각에 그만두게 되었다.

중학교 때는 기타가 멋있어 보였다. 내가 중학교 3학년이 되던 해에 우연히 다린 이라는 가수를 알게 되었는데, 통기타 한 대와 목소리만으로 노래를 만들어내는 것이 소박하면서도 좋았다. 손가락 몇 번 퉁기는 것만으로 멜로디가 만들어지는 게 신기했고, 화려하지는 않아도 가슴에 와닿는 잔잔한 분위기가 마음에 들었다. 지금 생각해보면 인디 가수의 곡을 좋아했던 것 같다. 어린 나의 시선에서는 나름대로 낭만적이라고 생각했었다.

이후 고등학교에 입학하게 되었는데, 마침 1학년 음악 수업 첫 시간에 기타를 배울 기회가 생겼다. 학원에서 배우는 것만큼 꼼꼼하게 배울 수는 없었지만, 코드를 잡는 방법이나 주법을 익히는 과정이 재미있었다. 하지만 매일 있는 수업이 아니다 보니 꾸준한 연습이 필요했고 엄마를 졸라 10만 원짜리 저렴한 통기타를 사서 혼자 연습해보고는 했다. 그때 열심히 연습했던 노래로는 제이슨 므라즈의 I'm yours나 애덤 리바인의 Lost stars가 기억난다. 1년 정도 연습하니 프로 기타리스트만큼 잘 치지는 못 했지만 나름 기타를 치며 노래를 부를 수 있을 정도의 구색은 갖출 수 있었다. 그래도 언제까지나 악기는 취미의 영역이었고, 본격적으로 대입을 준비하던 상황에서 계속 기타를 치기는 어려웠다. 그렇게 통기타가 방구석에서 꺼내지는 일은 더 없었고 기타는 어린 시절의 추억이자 꿈으로만 간직해야 했다.

슈퍼밴드의 세계로

　스무 살이 되면 하고 싶은 것들이 많았다. 예를 들면 친구들과 여행을 간다거나, 콘서트에 가는 것, 한강에서 돗자리를 펴고 피크닉을 하는 것 등 꿈꿔왔던 것들이 있었다. 하지만 고등학교 3학년 때부터 코로나가 유행하면서 꿈꿔왔던 대학 생활의 로망을 실현하기는커녕 집 밖으로도 나가는 것조차 힘들어졌다. 그래서 스무 살의 대부분을 집에서 보내야만 했는데, 그때 열심히 봤던 프로그램이 바로 <슈퍼밴드>였다.

　<슈퍼밴드>는 2019년 jtbc에서 방영한 서바이벌 프로그램으로, 밴드를 결성하기 위해 모인 사람들이 매 라운드 새로운 밴드를 만들어 경연하고 최종적으로 음악을 함께할 밴드를 결성하는 방식으로 진행되었다.

　<슈퍼밴드>에는 다양한 사람들이 나왔다. 버클리 음대를 다니는데 밴드를 하고 싶어서 휴학을 한 사람도 있었고, 유명한 드라마의 OST를 부른 사람도 있었고, 아예 밴드 전체가 출연하기

도 했다. 가장 재밌었던 점은 음악적 동료를 찾아준다는 프로
그램의 취지였는데, 실제로 슈퍼밴드를 통해 밴드를 결성한 사
람들이 지금까지도 함께 음악을 한다는 점이 좋았다.

밴드는 보컬 한 명에 기타, 베이스, 드럼의 4인조 구성이 일
반적인데 <슈퍼밴드>에서는 보컬이 두 명이기도 하고, 바이올
린이나 첼로와 같은 클래식 악기가 있는 밴드가 탄생하기도 해
서 기존의 밴드와 다른 형식을 추구한다는 점이 흥미로웠다.

회차가 거듭될수록 눈에 띄었던 부분은 원래 본인이 하지 않
는 장르의 곡도 하게 된다는 점이었다. 밴드라는 게 '화합'
이 가장 중요하다 보니, 내 의견을 강하게 주장하기보다는 서
로의 합이 잘 맞아야 한다는 목표를 가지고 무대를 구성해 나
가는데, 이러한 점이 나에게는 긍정적으로 비추어졌다.

<슈퍼밴드>를 보며 프로그램 자체에 대한 재미뿐만 아니라 밴
드에 대한 애정도 생기게 되었다. 고등학교 때까지는 악기 하
나로 혼자 음악을 만드는 인디 가수들을 좋아했고 여럿이 음악
을 만드는 밴드에 딱히 관심을 가지지는 않았는데, <슈퍼밴드>
를 보며 밴드가 구성원들 각자의 악기로 연주를 쌓아 올려 하
나의 음악을 탄생시킨다는 부분이 마음에 들었다. 게다가 밴드
의 구성원들이 음악을 하며 행복해하는 모습을 보는 게 좋았
고, 어릴 적의 내가 악기를 보며 가졌던 꿈과 열정을 누군가
대신 이뤄준 기분이 들었다. <슈퍼밴드>는 내가 밴드에 제대로
관심을 가지게 된 계기가 되었고 그렇게 나는 밴드라는 바다에
풍덩 빠져들었다.

공 연 문 화 살 리 기

처음 밴드 공연에 갔던 건 내가 대학교 1학년이던 2021년 12월이었다. <슈퍼밴드>를 통해 밴드에 관심이 생겼던 나는 그 프로그램에서 결성된 LUCY라는 밴드의 단독 공연을 보기 위해 티켓 예매를 했다. LUCY는 서바이벌 프로그램 출신답게 꽤 인지도 있는 밴드였고, 멤버들이 잘 보이는 앞자리를 쟁취하는 건 생각보다 어려운 일이었다. 예매가 시작됨과 동시에 여러 개의 이선좌("이미 선택된 좌석입니다."라는 뜻으로 이 표시가 뜨면 서둘러 다른 자리를 잡아야 한다.)를 보았고 운 좋게 시야가 좋은 자리를 예매할 수 있었다. 티켓을 예매하고 언제 공연 날이 되나 매일 달력을 확인하며 12월이 되기만을 기다렸다. 그렇게 티켓 예매 이후 드디어 한 달이 흐르고 공연 날이 되었다.

아이돌 콘서트를 가본 적은 있어도 밴드의 단독 공연을 보는 건 처음 있는 일이라 어떤 구성으로 이루어지는지 전혀 알 수 없었고, 세트 리스트 또한 모르는 채로 기대를 한가득 품고 입장했다. 인트로가 시작되고 멤버들이 한 명씩 연주를 하며 등장했는데, 바이올린 멤버가 있다는 특성을 살려 오케스트라 같은 편곡을 보여주었다. 코로나 바이러스가 한창 진행되고 있던 터라, 감염 예방을 위해 좌석 간에도 거리두기를 하고 앉았어야 했고 함성도 지를 수 없었다. 그래도 한 곡 한 곡을 시작하기 위해 악기를 조율하고 어떤 노래를 할지 기다리는 시간이 지루하지 않았고, 함성 대신 박수로 만족스러움을 표현하는 것마저 즐거웠다. 게다가 새 앨범을 발매하기 전, 수록될 노래 몇 곡을 미리 선공개하는 공연이어서 이미 알고 있는 곡을 듣는 것보다 몇 배로 귀가 즐거웠다. 세트 리스트에는 캐롤도 두 곡 정도 포함되어 있었는데, 추운 날씨와 캐롤을 연주하는 밴드의 음악이 어우러져 겨울 분위기를 즐길 수 있어 만족스러운 공연이었다. 무엇보다 밴드 사운드를 라이브로 처음 들을 수 있는 자리였는데 내 예상보다 악기 소리가 무척이나 잘 들렸고, 공연을 보기 전에 했던 기대들이 헛되지 않았다는 생각이 들었다.

 그렇게 LUCY의 공연을 여러 번 다니다 보니 다른 밴드의 공연은 어떤 소리를 내고, 어떤 에너지를 주는지 궁금해졌다. 2022년 5월, 나는 9001(나인티오원)이라는 밴드의 공연을 보러 가게 되었다. 내가 기억하기로는 2022년 4월 즈음에 코로나로 인한 공연장 함성 금지 수칙이 권고 사항으로 바뀌면서 공연에서 함성을 지를 수 있게 되었다. 이 밴드의 보컬은 무척이나 에너지 넘치는 타입이라 흐음 요도를 히기니 흥을 주체하지 못해 그다지 넓지도 않은 무대 위를 쉴 새 없이 돌아다니기도 했다.

공연이 시작됨과 동시에 함성을 유도하는가 하면, 앵콜 무대를 할 때는 관객석으로 뛰어드는 모습도 보여주었다. 그 보컬 멤버의 말로는 오랜만에 공연에서 함성을 들어 신이 나서 그랬다고 했는데, 보컬을 바라보는 다른 세션 멤버들도 즐거워하는 게 눈에 보여 나까지도 자연스레 즐겁고 행복한 기분이 들었다. 다른 이의 행복을 지켜보면서 나까지도 행복해질 수 있다는 신기한 경험을 할 수 있었다.

밴드를 좋아하면서 다른 밴드를 새롭게 알게 되는 과정이나, 그들의 음악을 하나씩 들으며 스펙트럼을 넓혀가는 과정도 재미있었다. 내 음악 스펙트럼이 넓어졌다고 확신할 수 있는 계기가 한 가지 있는데 그건 바로 실리카겔의 음악을 들었을 때다. 사실 밴드를 처음 알게 되면서부터 다양한 밴드의 음악을 들어보려고 열심히 찾아다녔다. 예를 들면 멜론의 유사곡 추천 기능이라던가, 유튜브의 관련 동영상 추천 같은 것들 말이다. 실리카겔 같은 경우는 우연히 유튜브에서 라이브 영상 하나를 보게 되었는데, 평소에 들던 장르도 아니고 조금 난해하다는 생각이 들기도 했다. 하지만 그 난해한 노래를 매일 같이 듣고 있는 나를 발견하면서 꼭 대중적인 음악만이 밴드의 성공을 좌우하는 건 아니라는 생각도 동시에 들었다.

나는 2022년 11월에 EBS에서 주최하는 '헬로루키'라는 신인 밴드 오디션 결선 공연에 친구와 함께 가게 되었는데, 그곳에서 2016년 헬로루키 대상 밴드 출신으로 축하 공연을 온 실리카겔을 볼 수 있었다. 그리고 그들은 그곳에서 6년 전 자신들이 대상을 받았던 노래를 연주하였는데, 6년이 흐른 뒤에 축하 공연으로 관객들과 많은 신인 밴드들 앞에서 노래를 선보일 수 있다는 건 밴드 멤버들에게 감회가 남다른 경험이었을 것이다. 그리고 그들이 공연하는 내내 관객들은 환호성을 지르거나 엄지를 내밀어 보여주는 등 계속해서 응원하고 있음을 보여주었고, 그 모습이 나에게 감동을 주었다.

 그동안 나는 꾸준히 밴드 공연을 다녔고 대부분은 홍대의 작은 지하 공연장에서 하는 인디밴드의 공연들이었다. 공연에 다니며 밴드를 좋아하는 다른 친구들을 많이 사귀기도 했는데, 그 친구들은 보통 좋아하는 밴드의 공연을 위주로 다니곤 했다. 나는 그 친구들과 달리 한 밴드의 공연을 여러 개 다니는 것보다는 여러 밴드의 공연을 하나씩 보는 걸 선호했는데 특별한 이유가 있어서라기보다는 관심 있는 밴드가 생기면 공연에 가보고 싶다는 욕심 때문이었다. 그래서인지 여러 번 본 밴드는 손에 꼽을 정도로 적은데, 그중 하나가 나상현씨밴드이다.

 나는 나상현씨밴드가 노래하는 화합이 좋았고, 특별하지 않은 우리의 일상을 담아내는 가사가 마음에 들었다. 나상현씨밴드의 노래는 대부분 떼창을 위주로 하여 공연을 할 때도 관객들과 함께 만들어가는 떼창 구성을 자주 하는 편이다. 2023년 7월, 나는 나상현씨밴드의 전국 투어 마지막 서울 공연을 가본 경험이 있는데 처음부터 끝까지 2시간이 넘는 시간 동안 관객들이 떼창을 하며 그들의 노래를 함께 빛내고 있다는 점이 좋았다. 떼창을 하면서 가수과 관객이 같은 마음으로 노래를 부르고 있음을 느낄 수 있어 벅찬 기분이 들기도 했다. 특히 '1+1'이라는 곡의 떼창 구간이 유명한데, 이 부분의 가사를 함께 따라 부를 때면 밴드가 추구하는 '화합'이 무엇인지 제대로 깨달을 수 있어 괜스레 뭉클한 기분이 들기도 했다. 밴드가 주는 에너지뿐만 아니라 관객과 함께 만들어가는 무대로, 감동을 느낄 수 있어 행복한 순간이었다.

더 높은 곳으로

"무슨 밴드 제일 좋아해?"

취미로 밴드 공연을 보러 다닌다는 말을 하면 가장 많이 듣는 질문 중 하나다. 앞서 말했듯 나는 한 밴드의 공연을 여러 번 보기 보다는 여러 밴드의 공연을 한 번씩 보러 다니는 성향을 가지고 있어, 최애 밴드를 묻는 질문에는 정말 답하기가 힘들었다. 지금까지는 기억에 남는 공연을 했던 밴드를 꼽거나 좋아하는 밴드가 정말 많아서 하나만 꼽기 힘들다고 답하기 일쑤였다. 그런 나에게도 최애 밴드가 있다.

나는 파츠라는 밴드를 가장 좋아한다. 파츠를 알게 된 지는 꽤 오래 되었는데, 내가 밴드를 처음 접하게 된 2021년 9월로부터 얼마 흐르지 않은 2022년 2월이었다. 이 밴드 멤버들은 다른 가수나 밴드의 세션으로 이미 잘 알려져 있었고, 보컬 또한 다양한 가수들과의 콜라보를 통해 어느 정도 인지도를 쌓은 상태였다. 나는 그들이 결성되는 과정을 지켜봐왔으며, 사운드 클라우드(정식 음원을 업로드 하는 사이트가 아닌 미완성곡이나 취미용 작업물을 업로드 하는 음악 사이트로 대부분 밴드의 구성원이나 래퍼들이 자주 사용하고는 한다.)에 첫 싱글에 수록될 미완성곡이 올라오는 과정까지도 볼 수 있었다.

나는 파츠가 보여주는 특유의 청량함과 도시의 이미지를 담은 세련된 음악이 좋았다. 내가 밴드에 관심을 가지기 시작했던 건 이 밴드를 만나기 위한 빌드업이었나 하는 생각이 들 정도로 파츠의 음악이 좋았고, 특히 파츠 기타리스트의 기타 톤이 마음에 들었다. 그랬던 내가 파츠를 최애 밴드라고 이야기 하지 못한 데에는 아주 큰 이유가 있었다.

2022년 7월, mnet에서 밴드끼리 경연을 하는 서바이벌 프로그램이 처음 방영되기 시작하였고 파츠라는 밴드도 이 프로그램에 참가하게 되었다. 하지만 회차를 거듭할수록 좋은 성적을 내기도 어려웠을뿐더러, 경연을 진행하며 나타나는 보컬의 과호흡 증상으로 인해 방송 출연을 지속하기 어려워져 프로그램에서 중도 하차하게 되었고, 이는 보컬의 밴드 탈퇴로도 이어지게 되었다. 방송에 출연한 다른 밴드들은 연말 공연을 하거나 투어를 도는 등 활발한 활동을 이어나갔지만 파츠는 보컬의 부재로 활동을 지속하는 데 어려움이 있었고, 결국 무기한으로 활동을 중시아기도 설정을 내뒀나.

나는 파츠의 음악을 좋아했고, 극단적으로 보았을 때 다른 보컬 멤버를 영입하지 못하면 팀을 해체하게 될 수도 있겠다는 생각을 했다. 이 때문에 가장 좋아하는 밴드를 밝히기 힘들었던 것이다. 나는 파츠의 새로운 시작을 막연히 기다릴 수만은 없겠다는 마음에 예전처럼 다른 밴드의 공연을 보러다니고는 했다. 하지만 파츠만큼 나의 음악 취향에 정확히 들어맞는 밴드를 찾기란 힘들었고, 다른 밴드 공연을 보면서 얻는 만족감과 파츠의 음악을 들을 때 얻는 만족감이 확연히 다르다는 걸 느꼈다.

9개월 가까이 기다린 2023년 7월, 잠잠했던 파츠 공식 인스타그램에 그들이 다시 돌아왔음을 알리는 동영상 세 개가 업로드 되었고, 새로 영입한 보컬의 모습까지 공개 되었다. 게다가 9, 10월에 걸쳐 두 곡을 발매하기도 하였으며 비교적 최근인 12월 9일 팝업스토어 현장에서 처음으로 라이브 공연을 할 수 있게 되었다. 그리고 당연한 말이겠지만 나도 그 자리에 함께 하였다. 공연에서는 미공개곡 포함 총 세 곡의 무대를 진행했는데, 새롭게 돌아온 내 취향의 밴드를 눈 앞에서 보고 들을 수 있다는 즐거움이 컸으며 무엇보다 밴드 멤버들이 걱정이나 어떠한 한계선 없이 행복하게 무대하는 모습을 볼 수 있어 기분이 좋아졌다. 파츠는 분명 수면 아래로 가라앉는 순간이 존재했지만, 그 상황을 극복하여 한 단계 위로 도약할 준비를 마쳤다.

밴드 파츠가 보여준 모습은 삶과도 비슷하다고 생각한다. 우리의 삶은 잔잔한 물결처럼 매일 같은 일상이 반복 되기도 하며, 거센 파도가 치듯 고난과 역경이 끊이지 않기도 한다. 나는 밴드 공연을 통해 좋아하던 음악에 대한 만족감과 꿈의 대리 성취, 여러 관객과의 즐거움 등 다양한 감정을 얻기도 하지만 때로는 밴드의 성장에서 메시지를 얻기도 한다. 나는 가장 좋아하는 밴드의 힘든 순간과 기대되는 내일을 모두 보았으며, 앞으로 나의 인생에 있어서 고난이 생기더라도 파츠처럼 극복해낼 수 있겠다는 의지가 생기기도 했다. 나는 이제 가장 좋아하는 밴드를 묻는 질문에 쉽게 대답한다.

"파츠를 제일 좋아해."

밴드는 나의 힘

내가 밴드 공연을 다니며 느꼈던 가장 큰 감정은 즐거움이었다. 공연을 보러 다니는 나에게 있어서 좋아하는 밴드를 직접 눈으로 보고 밴드 사운드를 직접 듣는 것만큼이나 중요했던 건 눈앞에서 공연을 하는 밴드 멤버 한 명 한 명의 감정을 내가 느낄 수 있다는 것과 그 감정을 느낀 내가 공연에 만족하고 즐거운 공연이었다고 결론짓는 것이었다.

공연을 보는 것은 단순한 일회성 경험이고 밴드는 관객에게 즐거움을 선사하지만, 그 경험을 상기시키고 추억으로 만드는 것은 오로지 관객의 몫이라고 생각한다. 공연이 끝난 뒤 나는 그 공연에서 좋았던 점이나 기억에 남는 요소들을 떠올려보기도 했고, 유튜브에 비공개로 공연 영상을 올리기도 했다. 나에게 의미 있는 추억으로 만드는 작업을 거친 것이다. 그렇게 밴드는 나에게 단순한 취미가 아닌 거의 삶의 일부와 같은 존재가 되었다.

나는 밴드 음악을 들으며 위안을 얻기도 하고, 공연을 보러 다니며 스트레스를 모조리 날려버리기도 한다. 또한, 밴드의 성장을 지켜보며 내 삶의 의지를 다지기도 한다. 이제 누군가 취미를 물어보면 밴드 공연을 보러 다니는 일이라고 말하는 게 일상이 되었다.

어린 시절부터 흐르는 물결처럼 잔잔하게 일상에서 밴드와 함께였던 나는 마치 바다에 휩쓸리듯 우연히 본 <슈퍼밴드>라는 파도를 통해 비로소 밴드 음악이라는 취향을 깨달을 수 있었으며 또 한 번 휩쓸려 밴드 공연이라는 종착지에 도착하게 되었다. 앞으로 나를 밴드 말고 또 다른 즐거움으로 데려다줄 파도가 있을지는 모르지만, 밴드라는 가장 친한 친구와 헤어지지 않고 오래 함께할 수 있기를 바라면서 외친다. "밴드 네버 다이!"

Chapter 3

가자! 도쿄로!

김정현

여 행 의 첫 페 이 지

"저희 비행기는 곧 나리타, 나리타 공항에 착륙할 예정입니다.
승객분들은 안전벨트를 착용해 주시길 바랍니다."

약 두 시간의 비행 끝에 도쿄에 도착했다. 옆에서 이어폰을
꽂고 자던 동생이 슬며시 눈을 떴다. 비행기에서 내리자마자 후
끈한 바람이 확 온몸을 감싼다. 6월 말의 후덥지근한 공기에 이
제야 일본에 도착한 것이 실감이 난다.

동생과 둘이서 떠나는 첫 여행이, 지금 막 시작된 것이다.

동생과는 두 살 터울이다. 나이 차이가 많이 안 나서 그런지 어릴 때부터 놀고 다투고 화해하기를 반복했다. 친하지만 또 많이 싸우는 애증의 관계라고나 할까. 집에서는 함께 많은 시간을 보내긴 했어도, 가족끼리 가는 것이 아니면 둘이서 어딘가로 놀러 가거나 여행을 가본 적이 없었다. 어차피 집에서 질리도록 보니, 밖에서 시간을 내어 놀고 싶다는 마음이 생기지 않았던 것 같다. 대부분의 형제자매가 그렇듯이, 우리도 서로보다는 각자 친구들과의 약속에 더 시간을 쏟았다.

세계를 강타한 코로나19가 잠잠해진 이후, 원래 돌아다니는 것을 좋아하는 나는 고삐 풀린 망아지처럼 여기저기 여행을 다니기 시작했다. 가평과 대구 같은 국내는 물론 해외로도 눈길을 돌렸는데, 가까이 있고 놀이동산과 같은 볼거리가 많은 일본이 첫 타깃이 되었다. 충동적으로 일정을 잡은 탓에 4박 5일간의 도쿄 여행 후, 한국에서 3일 있다가 다시 오사카로 3박 4일 여행을 가는 극한 일정을 소화하기도 했다. 나는 국내로, 또 해외로 여행을 다니며 알찬 겨울 방학을 보냈고 시간이 흘러 3월, 개강을 하게 되었다.

하루하루 반복되는 일상에 무료해져 가던 때, 스무 살이 되어 신나게 대학교를 다니던 동생이 어느 날 불쑥 물었다.

"언니, 나랑도 일본 가면 안 돼?"

친구들과 함께 가는 여행이 아니라 동생과 둘이 가는 여행은 상상도 해본 적이 없어서 처음에는 당황스러웠다. 그러나 20년 동안이나 한 집에서 살아 알만큼 아는 동생과 여행을 하면 오히려 편할 수도 있겠다는 생각이 들었다. (물론 이 생각은 나의 오산이었다.) 위에서 일정을 잡았을 때도 짐작했겠지만, 기분파에 충동적인 나는 종강하자마자 떠나는 도쿄행 비행기를 두 장 끊었다. 이 잊을 수 없는 여행의 첫 페이지를 펼친 셈이다.

처음 이 여행을 준비할 때, 나는 계획 짜는 것을 좋아하는 동생이 일정을 짤 줄 알았다. 그런데 여행 날짜가 다가와도 일정을 짜야겠다는 말을 하지 않길래 동생에게 물어보았다.

"야, 너 도쿄 여행 계획 안 짜?"

"언니가 짜는 거 아니었어? 언니가 많이 가봤으니까 믿고 맡길게~"

내 생각과는 달리 동생은 공부 계획이나 버킷리스트는 잘 정리하면서, 여행 일정에 대해서는 관대했다. 디즈니랜드를 꼭 가야겠다는 것 빼고는 가고 싶은 곳이 확실한 것도 아니라서, 내가 모든 일정을 계획하게 된 것이다. 이번 도쿄 여행이 동생의 첫 일본 여행이었고, 더군다나 도쿄를 가본 나는 책임감이 생겼다. 꼭 가야 할 명소들을 정리하고, 이동 동선을 고려해서 배치하고, 근처 맛집을 찾는 일은 쉽지 않았다. 저번에 친구와 도쿄에 갔을 때는 출발하기 일주일 전에 계획을 짜기 시작했으니, 이번에는 몇 달 전부터 상당히 오랫동안 꼼꼼히 계획을 짠 편이다.

하지만 마음먹은 대로 흘러갔다면 책을 쓸 일도 없었을 것이다. 계획할 때까지만 해도 모든 일정이 순탄하게 진행될 줄 알았는데, 막상 여행이 시작되자 생각지도 못했던 여러 가지 문제들이 일어났다. 나와 같은 경험을 했거나, 또는 앞으로 경험할 사람들에게 내 얘기를 공유하고, 여행을 통해 얻은 깨달음을 전하고 싶어 본격적으로 에세이를 쓰기 위해 펜을 잡았다.

삐그덕 삐그덕

창밖으로 비가 추적추적 내린다. 아직 해도 뜨지 않은 컴컴한 새벽, 공항으로 출발했다. 아침 7시 25분 비행기를 예매했기 때문에 서둘러 움직여야만 시간을 맞출 수 있었기 때문이다. 전날에 최종적으로 예매한 표들과 여행 일정을 확인하느라 몇 시간밖에 자지 못해 퀭한 나와 달리, 동생은 여행을 간다고 아침부터 신나서 준비했다.

일본에 도착해서 숙소에 짐을 맡기고, 도쿄의 유명한 절인 센소지가 있는 아사쿠사로 향했다. 절의 역사가 상당히 오래되었기 때문에, 절 앞으로 큰 번화가가 형성되어 있었다. 유명한 관광지답게 사람이 상당히 많았고, 길거리에서 당고와 녹차, 딸기 모찌를 사 먹으며 얘기를 하는데 동생의 표정이 심상치 않았다.

"언니.. 나는 이런 북적북적한 거리 안 좋아해.."

동생이 일본의 전통적인 분위기가 느껴지는 곳을 가고 싶다고 하길래 나름 생각해서 고른 곳이었는데, 마음에 안 든다는 애기를 직접적으로 들으니 기분이 좋지 않았다. 우리는 다툰 채로 절을 둘러보다가 모처럼의 여행이니 기분 풀자며 서로 화해를 했고, 도쿄의 유명 전망대인 스카이트리로 이동했다.

그런데 스카이트리로 가는 길에 두 번째 난관에 부딪혔다. 센소지에서 스카이트리까지 걸어가는 데 20분이나 걸린다는 것이었다. 일단 야심 차게 걷기 시작했는데, 날씨가 너무 더워서 기운이 쭉쭉 빠졌다. 나는 체력이 좋아 여행을 가면 하루 종일 돌아다녀도 지치지 않는 반면에, 동생은 나와 달리 체력이 매우 약했다.

일본의 여름 날씨는 상당히 덥고 습하다. 이 날씨에 밖을 돌아다니면 피부가 끈적거리고 불쾌지수가 상승한다. 이를 고려하

삐그덕 삐그덕

지 않은 것은 내 실수였다. 다행히도 걸어가는데 바람이 선선하
게 불어 내 동생의 기분이 많이 회복되었고, 즐거운 마음으로
스카이트리를 구경하기 시작했다.

마음 편히 관람만 하면 되나 싶었던 찰나 또 문제가 생겼다.
노을이 지는 시간인 7시로 관람표를 예매했어야 하는데, 5시로
예매했던 것이다. 결국 전망대에서 야경을 보기 위해 두 시간
동안 기다리게 되었다. 꼼짝없이 발이 묶인 우리는 두 시간을
꼬박 기다려 야경을 보았고, 저녁을 먹기 위해 스카이트리 건물
이 토리튼이라는 초밥집에 샀나. 딱 저녁을 먹을 시간이고, 원
래 인기가 많은 집이라 대기가 무려 한 시간이었다. 다른 식당

도 사정은 마찬가지였던 터라 어쩔 수 없이 기다려서 저녁을 먹었다. 초밥은 아주 맛있었지만, 하루 종일 기다림에 지친 동생은 녹초가 되어 숙소로 돌아왔다.

다음 날도 상황은 크게 다르지 않았다. 유명한 교차로인 시부야의 스크램블 교차로를 보고 스트리트 브랜드들이 많은 거리인 하라주쿠의 캣 스트리트에 가서 구경을 하는 것까지는 평화로웠다. 하지만 너무 많이 걸은 탓에 다리가 아팠던 동생이 카페를 가자고 말했지만, 근처 카페가 모두 만석이었다. 더군다나 일본의 매장들은 모두 문을 빨리 닫기 때문에 일정을 계획대로 추진하려면 나는 나대로 갈 길이 바빴다. 결국 동생과 사람이 많은 교차로 한복판에서 여기에서 쉴지, 다음 장소로 이동할지 다투게 되었다.

근처에 사람이 너무 많았던 터라, 카페에 자리가 없을 것 같아 이른 저녁을 먹으러 이케부쿠로로 이동했다. 메뉴는 일본에

서 유명한 장어덮밥으로 정했는데, 어색한 분위기에서 밥을 먹으니 장어덮밥의 맛도 제대로 느끼지 못했다. 깨작깨작 밥을 먹은 후 동생의 버킷 리스트였던 가챠샵에 가기 위해 가챠샵이 위치한 선샤인 시티로 이동했다.

선샤인 시티는 여러 가지 가게들이 많이 위치한 쇼핑센터이다. 우리가 도착한 시간은 7시였는데 찾아보니 영업시간이 8시까지였다. 설상가상으로 주변 가게들이 문을 닫기 위해 하나 둘 정리를 하기 시작했고, 이미 닫은 가게들도 많았다. 마음이 급해진 우리는 서둘러 그 큰 쇼핑센터에서 가챠샵을 찾으러 다녔다. 내가 마감 시간을 미리 확인하지 않았기 때문에 벌어진 일이라 동생이 점점 더 인상을 쓰기 시작했다. 계속 헤매다 동생이 다리가 아파 화가 나서 폭발하기 직전에 다행히 가챠샵을 발견할 수 있었다.

디즈니와 치이카와 등 여러 피규어와 키링들이 가챠샵에 많았기 때문에 아기자기하고 귀여운 것을 좋아하는 우리는 열심히 돌아다니면서 원하는 가챠를 뽑기 시작했다. 시간이 없어 급한 마음으로 뽑기를 하다 보니 어색했던 분위기도 어느 정도 풀려 있었다. 다행히 8시가 넘었는데도 가챠샵은 문을 닫지 않고 계속 운영했고, 우리는 여유롭게 가챠를 더 구경하다가 숙소로 돌아왔다. 동생은 선샤인 시티에 너무 늦게 도착하는 바람에 다른 매장들을 구경하지 못해 아쉬워했다.

여행 두 번째 날까지 내가 짠 일정대로 소화하고 나니, 이대로는 여행을 지속할 수 없겠다는 생각이 들었다. 즐겁기 위해 온 여행에서 서로 기분만 상하고 감정을 낭비하고 있다는 사실에 화가 났다. 일정을 짤 때 이런 세세한 부분까지 고려하지 못한 나 자신에게 실망하기도 했고, 또 자신의 기분이 안 좋다고 나에게 짜증을 내는 동생의 태도도 마음에 들지 않았다. 이틀 연속으로 동생과 싸우고 숙소로 돌아와 서먹하게 잘 준비를 하는 것도 지쳤기 때문에, 나는 동생에게 대화를 요청했다.

"얘기 좀 하자."

협 상 테 이 블

호텔에 있는 작은 탁자가 협상 테이블이 될 줄은 몰랐다. 우리는 탁자를 사이에 두고 앉았고, 잠시 침묵이 이어졌다. 이 상황을 해결하려면 서로가 원하는 것을 말하고, 그 사이에 있는 합의점을 찾아야 한다는 생각이 들었기에 내가 침묵을 깨고 먼저 입을 열었다. 본격적인 협상이 시작된 것이다.

"네가 원하는 여행 스타일은 뭔데?"

"나는 이렇게 빡빡한 일정은 싫어. 패키지여행도 아니고 이게 뭐야. 좀 천천히 여유롭게 움직였으면 좋겠어."

나는 동생이 이번 일본 여행에서 조금이라도 더 많이 경험했으면 하여 일정을 빽빽하게 계획했던 것인데, 동생의 말을 듣고 머리를 한 대 맞은 것 같았다. 동생이 정말 원하는 것은 유명 관광지를 많이 돌아다니며 최대한 알차게 시간을 쓰는 게 아니었다. 여행 자체를 즐기며, 조급하지 않고 여유롭게 다니기를 원했던 것이다.

　이를 알고, 나는 계획했던 모두 일정을 수행해야 한다는 압박감을 내려놓았다. 정말 가고 싶었던 곳으로 하루에 한 개나 두 개 정도의 명소를 정해서 여유롭게 여행을 다니기로 약속했다. 따라서 가고 싶은 명소는 도쿄에 처음 온 동생에게 선택권을 주기로 했다. 그리고 숙소에 도착하면 자기 전에 다음날 갈 명소와 식당 같은 큰 줄기만 정하고, 나머지는 일정을 소화하며 상황을 봐서 유동적으로 조정하기로 결정했다.

　또 동생은 체력이 나처럼 좋지 않으니 앞으로의 일정은 내가 아닌 동생을 기준으로 일정을 짜야 했다. 그래서 정말 사소한 부분인 걸음 속도부터 조절하기로 했다. 평소 내 걸음이 빠른 탓에, 나를 따라오기 위해 동생이 무리해서 빨리 걸어야 하는 상황이었다. 따라서 의식적으로 동생에게 맞추기 위해 걸음을 늦추는 노력을 하기로 약속했다.

　그리고 동생은 밥을 제때 먹기를 바랐다. 첫째 날과 둘째 날 모두 여기저기 구경하다가 밥을 거르거나 늦게 먹는 일이 종종 있었고, 체력도 안 좋은데 배까지 고프니 정말 힘들었다고 동생이 솔직하게 털어놓았다.

"지금까지 내 기준으로만 생각하고 여행 일정을 잡아서 미안해. 나는 나름대로 너에게 알찬 여행이 되었으면 해서 무리해서 계획을 짰던 건데 오히려 너는 힘들기만 하고 즐겁지 않았던 것 같아. 앞으로는 너에게 맞추어서 계획을 짤게."

"응. 나도 언니한테 힘들다고 짜증 많이 내서 미안해."

서로 자신의 생각만 옳다고 주장하는 것이 아니라, 상대에게 맞추려는 의지와 상대의 입장을 이해하려는 태도가 있었기에 협상 테이블은 잘 마무리되었다.

롤러코스터의 최정상에서

셋째 날은 꿈의 놀이공원, 디즈니랜드에 가는 날이었다. 디즈니랜드는 동생이 여행지를 도쿄로 결정한 이유이기도 했다. 원래는 디즈니랜드 오픈 시간에 맞추어 일찍 출발하기로 했으나, 동생이 잠을 더 자길 원해서 오픈 시간을 신경 쓰지 않고 여유롭게 출발했다. 일정을 꼭 맞춰야 한다는 압박감을 내려놓아서 가능한 일이었다.

도착하자마자 놀이공원의 필수 아이템인 머리띠를 하나씩 맞춰서 쓰고 유명한 놀이 기구인 미녀와 야수 줄을 먼저 섰는데, 장장 두 시간이나 기다렸다. 땡볕에서 두 시간을 서서 기다리는 일은 쉽지 않았다. 다리도 아프고 더웠지만 디즈니랜드에 왔다는 사실 하나로 버텼던 것 같다. 놀이 기구는 마치 영화 속에 들어간 것처럼 생동감이 넘치고 즐거웠다.

만족한 채로 놀이 기구를 타고 나왔는데, 또다시 의견 충돌이 일어났다. 동생은 힘들어서 바로 점심을 먹자고 했고, 나는 옆에 있는 미키의 집에 가서 미키마우스를 만나고 싶어 했다. (미키의 집에 가면 직원분이 미키마우스의 인형탈을 쓰고 있고, 미키마우스와 함께 사진도 찍을 수 있다.)

우리는 잠시 말다툼을 하다가 미키마우스를 보고 점심을 먹기로 합의했고, 다행히 줄이 빨리 빠져 20분 만에 미키마우스를 볼 수 있었다. 실제 미키의 집처럼 아기자기하게 꾸며놓은 곳에서 기다렸기 때문에 구경하는 재미도 있었고, 미키마우스가 정말 신나게 인사를 해줘서 둘 다 기분이 좋아진 채로 점심을 먹을 수 있었다. 동생도 미키의 집에 가길 잘했다고, 미키마우스가 귀여웠다고 말했기에 나는 속으로 안도의 한숨을 내쉬었다.

다음으로 추첨을 통해 당첨된 공연을 보러 갔다. 그런데 공연장이 야외, 그것도 해가 위에서 바로 내리쬐는 땡볕 한가운데 위치해있었다. 미리 입장해 지정된 자리에 앉자마자 벌떡 일어났다. 의자가 한낮의 햇빛을 모두 머금은 것처럼 뜨거웠기 때문이다. 다행히 방석이 근처에 있어 겨우 앉을 수 있었지만, 시간이 갈수록 동생의 표정이 굳어졌다.

우리가 햇볕에 점점 익어가고 있었을 때 드디어 공연이 시작되었다. 당첨된 공연은 어린아이들을 위한 공연이어서 미키마우스와 미니마우스, 도널드 덕이 나와서 춤을 추며 호응을 유도했다. 신나는 노래와 함께 쉬운 안무를 가르쳐 주어 공연장의 사람들이 어른과 아이를 가리지 않고 모두 열심히 따라 했고, 흥겨운 분위기에서 웃으면서 공연을 볼 수 있었다.

"야, 이제 어디 갈까?"

"언니, 더 이상은 안돼. 쉬자!"

공연이 끝나자 동생은 더 이상 못 걷겠다며 휴식을 취해야겠다고 선언했다. 우리는 그늘을 찾아서 시원한 아이스크림을 먹으며 체력을 회복했고, 놀이 기구를 여러 개 더 타고 디즈니랜드의 꽃인 밤 퍼레이드까지 알차게 즐긴 후에야 숙소로 돌아왔다. 기분 좋게 숙소로 돌아와 오늘 하루가 즐거웠다고 말하는 동생의 모습을 보니 뿌듯한 마음이 들었다.

  디즈니랜드에서 롤러코스터를 타던 도중, 롤러코스터의 최정
상에서 동생이 했던 말이 아직도 기억난다.

  "언니, 우리 일본 여행 오길 잘 한 것 같아."

  "나도오오오오옥!!!!!!"

  롤러코스터가 동생이 말한 직후 급하강했기 때문에, 나는 말
을 끝마치지 못했다.

넷째 날은 한 달 전에 예약해야 할 정도로 인기가 많은 지브리 미술관에 가는 날이었다. 늦잠을 잘 수도 있다는 사실을 잊은 채 일찍 가서 보고 다른 곳으로 이동하려고 아침 10시로 예약을 했기 때문에 아침 댓바람부터 미술관으로 출발했다. 전날 디즈니랜드에서 신나게 논 탓에 아침에 눈을 뜨자마자 10시로 예약한 사실을 후회했다. 하지만 예약하는 과정이 복잡하고 힘들었기 때문에 졸린 눈을 비비며 준비를 마쳤다.

그런데 가는 도중에 분위기가 심각해졌다. 지브리 미술관은 편의점에서 예약한 내역을 가지고 표를 교환해야 하는데, 내가 이를 깜빡한 것이다. 다행히 늦지 않으려고 일찍 출발했기 때문에 근처 편의점에서 무사히 표를 교환하여 입장할 수 있었다. 문제는 지하철에서 내려서 지브리 미술관까지 거의 30분을 걸어갔기 때문에 동생이 미술관에 도착했을 즈음엔 더위에 지쳐 있었다. 지브리 미술관이 실내이고, 동생이 지브리를 좋아해서 볼거리가 많아 기운을 내 관람을 할 수 있었다.

"언니!! 이거 봐!!! 토토로야!!!"

동생이 지브리 미술관의 마스코트인 입구의 토토로 동상을 보자마자 신나서 돌아다니기 시작했다. 지브리 미술관에는 여러 지브리 영화의 스케치나 콘티, 피규어, 작업실, 필름 등이 전시되어 있어 시간이 가는 줄 모르고 구경했다. 또 창문이 스테인드글라스로 되어 있는데, 안으로 여러 색깔의 햇살이 은은하게 비추어 전체적으로 따스한 분위기가 유지되었다. 특히 지브리 미술관에서만 상영하는 단편 애니메이션도 볼 수 있어 더 의미 있는 시간이었다. 나도 <이웃집 토토로>, <벼랑 위의 포뇨>, <하울의 움직이는 성> 같은 미야자키 하야오 감독의 영화를 어릴 때부터 많이 보았고, 특유의 밝고 평화로운 분위기를 좋아해 구경을 하는 내내 구름 위를 걷는 기분이었다.

지브리 미술관은 전체 사진 촬영 불가라 아쉬웠는데, 유일하게 옥상 정원의 <천공의 성 라퓨타> 동상에서는 촬영이 가능했다. 나도 내 키의 두 배도 넘는 엄청나게 큰 동상 앞에서 사진을 남겼다. 이날 날씨가 아주 화창했고, 파란 하늘과 햇살 덕분에 사진의 색감이 쨍하게 나왔다. 사진을 보면 이때의 날씨, 분위기, 기분이 생생하게 떠오른다. 이 사진은 한국에 돌아와서도 계속 들여다볼 정도로 마음에 쏙 들었다. 지브리 미술관에서의 여유롭게 보내던 시간들이, 그래서 더 행복했던 기억이 샘솟기 때문에.

여러 박물관과 미술관에는 기념품샵이 꼭 존재한다. 지브리 미술관도 마찬가지였다. 여기에서만 살 수 있는 각종 엽서와 키링, 뱃지가 한가득 있어 어떤 것을 살지 행복한 고민에 빠졌다. 그 수많은 기념품 중에서 동생의 마음을 앗아간 것은 바로 포스터였다. 지브리 영화의 포스터가 큰 사이즈로 제작된 것으로, 동생은 오랜 고민 끝에 <마루 밑 아리에티> 포스터를 선택했고 지금도 동생 방 한쪽 벽에 붙어 있다. 이 포스터를 볼 때면 지브리 미술관에서 환하게 웃던 동생의 모습이 떠오른다.

미술관 옆의 카페에서 간단한 점심을 먹은 후, 미술관을 열심히 구경해 체력이 떨어진 동생을 위해 숙소로 와서 잠시 낮잠 시간을 가졌다. 일정을 소화하며 지금 동생의 기분이 어떤지, 상태가 괜찮은지 계속 파악하였기 때문에 동생에게 맞추어 일정을 변경하였던 것이다. 시간이 갈수록 동생을 더 잘 배려하게 된 나의 모습이 낯설면서도 반갑게 느껴졌다.

하루아침에 사람이 바뀔 수는 없듯이 셋째 날과 넷째 날에도 일정을 맞추기 위해 많이 걷거나, 빨리 오라고 동생을 재촉하는 일이 종종 있었으나 그럴 때마다 동생과의 약속을 떠올리며 마음을 가라앉혔다. (동생이 인상을 찌푸린 것도 한몫했다.) 그 결과 이전보다 훨씬 기분 좋게 하루를 보낼 수 있었다.

하늘이 짙은 색으로 옷을 바꾸어 입었을 때, 느지막이 쇼핑을 하기 위해 숙소를 나왔다. 잡화점과 쇼핑몰을 구경하고, 마지막으로 돈키호테에서 알차게 쇼핑을 하고 나서 도쿄에서의 4일차 밤이 마무리되었다.

여 행 을 마 치 며

벌써 4박 5일 여행의 마지막 날이 밝았다. 아침에 갑작스럽게 비가 왔기 때문에, 계획이 어그러져서 숙소 근처 스타벅스에서 음료를 마시며 어디를 갈지 얘기를 나눴다. 도쿄 타워, 긴자, 오다이바 등 후보들이 많았지만 4일 동안 다투며 쌓은 경험으로 앞다투어 서로 가고 싶은 곳을 물어보았다. 그 결과 비교적 평화롭게 목적지를 정할 수 있었다. 우리는 숙소에 짐을 맡기고 레인보우 브릿지와 자유의 여신상을 볼 수 있는 오다이바 해변 공원으로 향했다. 비가 와서 그런지 바람이 세차게 불었다. 일본에서의 마지막 점심으로 동생이 먹고 싶어 했던 오코노미야키와 야끼소바를 먹고 자유의 여신상 앞에서 사진을 찍은 후 마지막 날의 일정이 마무리되었다.

이번 여행을 통해 이전의 그 어떤 여행보다 많은 것을 배우고 느꼈다. 초반에는 시간이 느리게 가는 것 같아 답답했지만, 시간이 흐를수록 여행이 끝나가는 것이 아쉬웠다. 내가 잘 안다고 생각했던 동생의 다른 면도 볼 수 있었고, 나와 반대되는 여행 스타일의 사람과 맞춰가는 경험이 새로웠다. 문제가 생겼을 때는 침착하게 대화로 해결하는 방법을 배웠다. 동생이라 마냥 편할 줄 알았던 것은 내 착각이었지만, 동생과 함께였기에 나 스스로 더 책임감도 기르고 성장하는 계기가 되었다.

도쿄 여행을 계기로 동생과 더 가까워지기도 했다. 이전에는 둘이서 놀러 나가는 일이 없었는데, 여행 이후 전시회를 보러 가거나 맛집에 가는 등 같이 하는 활동이 늘었다. 둘이 함께 공유하는 추억이 생겼다는 사실은 동생과의 거리를 크게 좁히는 계기가 되었다. 동생은 벌써 다음 여행지를 물색 중이다.

여행에서는 아무리 꼼꼼히 계획을 세워도, 예상하지 못한 돌발 상황이 벌어질 수 있다. 이때 어떻게 대처하는지가 여행의 흐름을 결정짓는다. 이는 삶을 살아가는 데 있어서도 마찬가지이다. 삶을 살아가다가 문제에 부딪혔을 때, 어떠한 태도를 가지고 문제를 해결하는지가 중요하다. 중요한 것은 아무리 안 좋은 상황이라도 긍정적으로 보는 태도와, 상황을 개선하려는 의지가 아닐까. 내가 동생과의 틀어진 관계를 개선하려고 노력했던 것처럼.

앞으로 동생과 여행을 간다면 이번 여행에서 겪은 경험들을 토대로 일정을 여유롭게 짜서, 훨씬 평화로운 여행을 할 수 있을 것이다. 그래서 나는 이번 여행이 '실패'가 아니라 '경험'이라고 생각한다.

  지금까지 친구들과 갔던 여행에서는 사소한 의견 충돌조차 없는 순조로운 여행이 대부분이었다. 따라서 나는 당연히 이번 여행도 평화롭게 마무리될 줄 알았다. 하지만 전혀 예상하지 못한 동생과의 갈등이 마치 거친 파도처럼 나에게 몰려왔다. 처음에는 이 파도에서 헤어 나올 수 없을 것처럼 앞이 캄캄했다. 파도에 휩쓸리지 않으려고 억지로 더 발버둥을 치기도 했다. 갈등을 해결하기 위해 화가 난 동생을 붙잡고 곧바로 대화를 시도한 것이다.
  그러나 이미 화가 난 상태에서 애기를 하다 보니 감정의 골이 깊어졌다. 또한 제대로 화해하지도 않은 채 계획을 그대로 강행해 점점 더 파도에 깊숙이 빠질 뿐이었다. 이에 발버둥 치기를 포기하고, 갈등을 해결하기 위해 동생과 서로의 입장을 이해하려 노력하고 싸우더라도 먼저 사과하는 습관을 가졌다. 미움과 화남이라는 감정이 가득했던 마음 한편을 온전히 비운 것이다. 파도가 자리 잡을 수 있도록.
  내가 파도를 온전히 받아들였을 때, 이 갈등을 해결할 실마리가 보였다. 갈등조차도 여행의 일부이며, 뜻깊은 경험이라는 사실을 받아들인 것이다. 따라서 갈등의 원인이 서로 입장의 차이를 이해하지 않고 자신의 입장만 내세웠다는 것을 알고, 차분한 상태에서 서로를 이해하려는 태도로 대화를 시도했다. 동생의 입장에서 생각하겠다는 마음으로 얘기를 나누다 보니 곧 금방이라도 날 삼켜버릴 듯이 거칠었던 파도가 언제 그랬냐는 듯이 잠잠해졌다. 파도에 휩쓸렸을 때는, 억지로 파도를 거스르려고 하는 것이 아니라 파도를 그대로 받아들여야 했던 것이다.

나는 파도가 더 이상 무섭지 않다. 처음 갈등이 파도처럼 밀려왔을 때는 막막했고, 즐겁지 못한 여행이 되는 것을 막기 위해 무작정 파도를 회피하고 싶었다. 그러나 동생과의 대화를 통해 갈등을 해결하는 경험을 하고 나서 파도가 나를 꺾으려는 것이 아니라는 사실을 깨달았다. 오히려 파도를 통해 나는 한 걸음 더 앞으로 나아갈 수 있었다. 실제로 갈등 후에 동생과의 사이도 더 좋아졌고, 여행을 무사히 마무리할 수 있었다. 즉, 파도가 내 성장의 원동력이 된 것이다. 앞으로는 어떤 거친 파도가 나에게 밀려오더라도 당황하지 않고 파도를 제대로 직면하고, 이를 해결하기 위해 노력하려 한다.

나는 이번 여행을 통해 '삶'도 여행이라고 생각하게 되었다. 삶과 여행은 여러 면에서 공통점이 있기 때문이다. 시작과 끝이 있다는 점, 수많은 문제 상황에 부딪힐 수 있다는 점, 그럼에도 불구하고 나아가야 한다는 점에서.

이번 여행은 끝났지만, 삶이라는 긴 여행을 나는 또 떠난다. 여행의 과정에서 난관에 부딪히고 파도에 휩쓸리더라도, 그 파도를 받아들이고 계속 나아간다면 언젠가는 원하는 목적지에 도착할 수 있을 것이다.

일본 여행을 다녀온 후, 시간은 빠르게 흘러 2학기가 시작되었다. 또다시 반복되는 일상에 익숙해져 가고 있던 때, 곧 종강을 맞이하는 동생이 물었다.

"언니, 우리 대만 여행 갈래?"

-Fin-

여행을 마치며

에 필 로 그

김혜정

나에겐 나쁜 버릇이 있다. 나는 내가 갖지 못한 것에 대해 질투하고, 남의 안 좋은 모습은 욕하면서 내 모습은 보지 않으려 한다. 그게 나쁜 행동인 줄 알면서도 그 사실을 한구석에 숨겨두고, 난 그렇지 않다고 생각한다. 그렇지 않은 사람도 있겠지만 대부분은 나와 비슷할 것이다.

소설의 주인공인 서준이는 이런 내 모습을 담은 인물이다. 서준이는 자신과 달리, 부족한 것 없이 완벽해 보이는 연우를 질투하고, 본인이 좋아했던 무언가가 자신이 생각한 모습과는 다른 면을 보이면 크게 실망한다.

나는 서준이를 통해, 지금껏 피해 왔던 내 모습에 대해 직면하고 싶었다. 글을 쓴 소감을 말해보자면, 사실 소설을 마무리했다고 해서 당장 달라진 건 없었다. 그러나 글을 쓰는 하루하루가 나를 되돌아보는 시간이 되었다고 생각한다.

나에 관한 소설인 만큼 완벽한 해피 엔딩이면 좋았을 텐데, 소설의 결말은 마냥 행복하진 않다. 서준이는 과거를 반성하고 온전히 파도를 바라볼 수 있게 되었지만, 죽은 연우는 돌아오지 않는다. 또, 늘 본인을 숨겨왔던 연우는 자유로워졌다고 상상해 볼 순 있으나 실제론 그저 죽은 것이다.

　내가 당장 달라지지 못하는 것처럼, 받아들일 준비가 되었다고 해서 인물들의 상황이 좋아지진 않는다. 쓸쓸하고 미적지근한 결말이지만, 그래서 더 독자들이 공감할 수 있는 내용이라고 짐작한다.

　결말 이후는 알 수 없지만, 받아들일 준비를 마친 서준이가 분명 한 발짝 더 나아갔으리라 생각한다. 나는 독자들이 서준이의 모습에서 '크게 바꿀 수 있는 게 없다는 걸 알면서도, 무엇이든 받아들이고자 하는 작은 용기'를 발견하기를 바란다. 그래서 나처럼 쉽게 질투하고, 그만큼 좌절하는 독자들이 어떤 파도라도 받아들일 용기를 가지는 계기가 되었으면 좋겠다. 시작이 반인 법이니까.

　그러므로, 책을 덮을 때 한 가지 주문을 부탁하고 싶다. 가슴을 펴고, 양팔을 벌리고 외쳐보자.

　'이제 준비가 되었다'라고.

박경아

사람이 살아가는데 취향 하나쯤은 필요하다. 최근 재학생 특강 중에 선배가 한 말도 이와 비슷했다. '마케팅을 꿈꾼다면 좋아하는 브랜드 하나쯤은 무조건 있어야 한다.'고 말했다. 그 말을 기억하고 글을 쓰면서, 내가 좋아하는 화장품에 대해 진지하게 생각해 봤다. 글에서 자주 언급된 특정 브랜드를 편애하는 것은 아니다. 그러나 내게 화장품이라는 세계를 알려준 시작은 잊을 수 없다. 그 처음을 시작으로 하여금, '화장품'이라는 자체가 내게 큰 브랜드 자산처럼 다가왔다. 아무 목적 없이 하루를 보내며 살아왔던 내게 화장품에 대한 무한한 세계가 활력이 되어주고 있기 때문이다.

또 최근에 어떤 사람에게 다음과 같은 질문을 받았다. '당신의 10년 후 모습을 곰곰이 생각한 다음 글로 써서 알려주세요.'라고 말이다. 그 질문을 받고 답을 하기 위해 생각해 내기까지 내 감정은 쉴 새 없이 요동쳤다. 정확히 무슨 모습을 내가 하고 있는지 상상해 본 적 없었지만, 앞으로 원하는 미래는 있기 때문이다. 결국 화장품과 관련된 일이다. 어르신들과 관련된 사회적 기업과 협업을 해 브랜드가 사회에 기여할 수 있는 방향성을 세우는 일이다. 그 방향성을 기획 세트 기획 및 제작을 통해 풀어내고 싶다.

다시 돌아와 이 질문에 대해 누군가는 다음과 같이 답했다. 지금 일도 모르는데, 무슨 10년 뒤를 상상하냐며 말이다. 맞는 말이다. 그래도 내 미래를 상상하게 해 줄 '화장품'이라는 관심 분야(취향)가 존재한다는 건 기쁜 일이다.

그렇기에 이 글을 쓰는 내내 솔직한 용기를 가지고 써야겠다고 생각했다. 막상 그 생각이 현실에서는 쉽지 않았다. 글을 쓰는 건 특히 에세이를 쓰는 건 어느 정도 나 자신을 비추어야 가능한 일이다. 글을 통해 나를 표현하려 하니 막막하기도 하고, 부끄럽기도 했지만 그럴수록 내 진심을 가리는 기분이 들었다. 그러다 보니 추상적으로 말하기 시작했고, 글을 봐도 재미도, 감동도, 의미도 느껴지지 않았다.

시선을 돌려, 어차피 내 이야기를 할 거니 솔직해지자고 노트북 앞에 앉은 내게 반복하며 말을 걸었다. 조금씩 나만의 이야기를 쓰니 내가 말하고 싶은 부분이 정확해지고, 디테일하게 설명을 할 수 있었다. 특히 '화장품'이라는 분야는 어느 정도 전문 지식이 필요한 부분에 내가 경험한 일에서 알게 된 구체적인 설명이 오히려 독자들에게 잘 전달될 것이다. 화장품을 좋아하는 코덕 또는 그렇지 않은 사람이더라도, 이 글을 읽고 "'박경아'라는 사람은 이렇구나."라는 정도로 담백하게 이 글을 받아들여 줬으면 한다.

양혜인

글을 써서 책을 내야 한다는 이야기를 들었을 때는 뭔가 막막하기도 하고, 한 번도 해보지 않은 작업이라 두려움이 앞섰다. 하지만 어떻게든 해내야 하는 일이었기에 나를 잘 표현해낼 수 있고, 나와 가장 가까운 요소를 생각해보았다. 그렇게 나온 것이 밴드였다.

나는 어렸을 때부터 밴드를 접할 기회가 많았고, 항상 그와 관련한 낭만을 품고 살았다. 부모님과 관련한 이야기들은 전에 미리 들어서 알고 있었다. 내가 밴드를 처음 좋아하게 됐을 때 엄마께 이런저런 얘기를 하다가 처음 알게 된 사실이 엄마도 밴드를 꽤 좋아했다는 것과, 그 영향으로 태교 음악으로 헤비메탈을 들었다는 것이었다. 엄마가 락이나 헤비메탈 장르의 강렬한 곡을 좋아하는 건 알고 있었지만, 태교 음악으로까지 들었을 줄은 몰랐다.

아빠의 어린 시절 이야기는 열심히 보던 드라마 <반짝이는 워터멜론>의 주인공 아버지와 좀 닮은 것 같다는 생각에서 시작했다. 하루종일 기타를 치고 놀다가 학교에 늦거나, 학원까지 빼고 장롱 안에 숨어서 기타를 쳤다던 아빠의 어린 시절은 꼭 그 시절 말썽쟁이 밴드맨의 모습을 상상하게 한다. 게다가 20대 때 취미 삼아 치던 베이스 기타를 (지금은 어디에 있는지 모른다.) 결혼 이후 마흔이 넘어서까지 간직하고 있는 모습 또한 낭만적으로 보였다. 내가 밴드를 좋아하게 된 이유는 여러 가지지만, 피는 물보다 진하다는 말처럼 유전적인 취향도 한 몫하지 않았을까 생각했고 당연한 결과였다.

밴드 공연도 처음에는 무척 망설였다. 내가 밴드를 오래 좋아할 것이라는 확신이 들지 않아서였다. 나는 무엇이든 쉽게 질려하는 경향이 있어서, 반복 작업에도 싫증을 내고 한 가지 일을 오랜 기간 동안 해야 하는 것을 싫어한다. 그래서 티켓 오픈 전날까지도 한참을 고민했었다. 고민하는 나에게 친구가 경험이라고 생각하고 한 번 갔다오는 것도 나쁘지 않을 것 같다고 말해줬는데, 그때 결심했다. 까짓 거 한 번 갔다오면 되지 싶었다.

분명 한 번이라고 말했는데 한 번으로 끝나지 않았다. 이 밴드 저 밴드 공연을 전부 다녀보고 떼창도 해보고 다 같이 방방 뛰기도 했다. 사실 글에 적은 것보다 더 많은 공연을 갔는데, 모두 적기 힘들뿐더러 나에게 어느 정도 인상적이었던 공연을 적는 것이 의미가 있을 것 같아 몇 개 추려보았다. 그 중에서도 나상현씨밴드 공연은 가장 돌아가고 싶은 순간이다. 아직까지도 그 공연이 주는 화합과 감동의 메시지가 그립다.

파츠를 처음 안 순간부터 지금에 오기까지 정말 예상할 수 없는 고난이 많았다. 좋아하는 밴드의 보컬이 탈퇴하고, 무기한 활동 중지를 한다는 게 처음 있는 일은 아니어서 더 힘들었다. 그런 경우 보통 해체를 하는 게 일반적이어서 마음이 무거웠다. 다시 돌아온 파츠를 마주했을 때는 무척 기뻐보였고, 나 또한 기뻤다. 11월 유튜브에 업로드 된 영상에는 파츠의 지금까지의 여정들을 풀어낸 인터뷰가 담겨있었다. 인상적이었던 부분은 대기권과 우주 사이의 경계선인 'Karman line'이 파츠가 넘어야 할 한계선과 비슷하다고 보고, 그 과정들을 앞으로의 곡에 녹여내자는 생각을 했다는 내용이다. 좋아하는 밴드를 보며, 고난을 통해 좌절하지 않고 한 단계 올라설 수 있는 마음을 배울 수 있는 계기가 되었다.

2년 전, 우연히 밴드라는 파도를 만나게 된 시점부터 지금까지, 내 삶에서 밴드는 아주 중요한 역할을 하고 있다. 단순한 취미 생활이 아닌, 앞으로 나아갈 수 있게 해주는 원동력이 되고는 한다. 물론 밴드를 좋아하면서 좋은 일만 있었던 건 아니지만, 그 작은 사건 하나로 인해 밴드를 좋아하는 의미뿐만 아니라 내 삶의 마음가짐에도 변화가 생겼다. 나에게 밴드와 같은 파도가 찾아온 것처럼, 이 책을 읽는 사람들에게도 그런 파도를 만나는 날이 왔으면 좋겠다. 이 파도를 타고 어디를 가든 간에, 반드시 행복해질 수 있는 종착지에 도착했으면 좋겠다.

김정현

동생과의 여행은 2023년 6월 말에 다녀온 것으로, 에필로그를 쓰고 있는 지금 시점에서 벌써 6개월이 지났다. 나는 여행을 가면 사소한 것 하나까지 다 사진을 찍어 놓는 편이다. 그러면 돌아와서 여행 당시의 일정을 확인하기도 좋고, 사진을 찍었을 때의 감정을 다시 상기시킬 수 있기 때문이다. 이번 에세이를 쓰며 도쿄 여행 당시의 일정을 정리하고, 책에 넣을 사진을 정하기 위해 당시 찍었던 사진들을 쭉 훑어보았다. 시간이 꽤 흘렀음에도 사진을 보면 그때의 기억이 생생하게 떠올라 에세이를 쓰며 마치 여행을 한 번 더 다녀온 듯한 기분이 들었다.

여행을 좋아하는 이유는 사람마다 다를 수 있다. 유명한 관광지에 가서, 맛있는 것을 많이 먹어서, 소중한 사람과 함께 여행해서. 수많은 이유가 있겠지만 내가 여행을 좋아하는 이유는 '새로움' 때문이다. 여행을 가면 주로 내가 익숙한 장소보다는 새로운 장소로 가기 마련이다. 낯선 곳에서 낯선 사람들을 만나고, 새로운 문화를 체험하고, 평소에 느끼지 못했던 다채로운 감정들을 느낀다.

일상에서 학교나 회사를 다니며 항상 그렇듯이 똑같은 쳇바퀴를 굴리며 살다가, 갑자기 새로운 환경에 나를 던지는 것이다. 나는 이 '새로운 환경'이 주는 영향과 배움이 크다고 생각한다. 여행을 하면 모든 일들이 순탄하게 흘러가지는 않는

다. 나 역시 이번 도쿄 여행에서 이를 생생히 체험했다. 일정도 꼬여보고, 의견 다툼도 해보고, 혹은 마음 가는 대로 행동하면서 그저 여행이 안 풀린다는 사실에서 끝나는 게 아니었다. 인내심을 기르고, 대화를 통해 갈등을 해결하고, 기분을 다스릴 수 있었다. 또 오히려 그 과정에서 지금까지 몰랐던 나의 새로운 모습을 찾아 신기하기도 했다.

여행은 어쩌면 '도전'일지도 모르겠다. 새로운 나를 발견하기 위한, 혹은 나조차도 몰랐던 나와 대화할 창구를 만들기 위한. 언어도 다르고 문화도 다른, 새롭고 낯선 환경에 가는 것이 두렵지 않은 것은 아니다. 그러나 그 모든 두려움을 이겨낼 만큼 여행은 충분히 가치있는 선택이다.

나는 오늘도 여행을 꿈꾼다.

의미 있는 '도전'을 하기 위해.

그리고 또다시 성장하기 위해.

책의 마지막 페이지에서,

소설부터 에세이 세 편까지 쉼없이 달려온 독자들에게 감사의 인사를 전한다.

우리의 이야기는 때론 잔잔하기도, 거칠기도 하다. 자신에게 맞는 파도를 타는 것도 중요하지만, 맞지 않는 파도를 온전히 받아들이는 것 또한 우리가 가져야 할 자세가 아닐까.

첫 장에서 우리는 하나의 질문을 던졌다. <파도타기>를 읽는 독자들 또한 스스로에게 질문을 던져보면 좋겠다.

"나의 삶은 어떤 형태인가? "

– 저자 일동 –

'프로젝트'라는 단어가 그리 낯설지 않은 요즘. 여럿이 모여 몇 권의 '책'을 만들기로 했다. 일상 곳곳에서 맞닥뜨리는 지극히 익숙한 대상이지만, 줄곧 읽을 생각만 했지 정작 이를 만드는 일까지는 상상해 보지 못했던 터였다.

'가천'에서 '인문'으로 만난 이들. 처음부터 끝까지 기획, 집필, 편집, 디자인 모두 이들 손에 이루어졌다. 매년 이맘때면 이런 결과물이 앞자리 번호를 달고 하나둘 쌓이리라 기대한다. 시간을 거스르며 결국은 그 숫자들이 우리를 이어 줄 것이다.

짧지만 강렬했던 한 달이 지난 지금, 어느새 모두 책 한 권의 저자가 되었다. 첫 출판의 도전을 마치자마자 우리는 또 각자 새로운 이야기를 꿈꾼다. 그 출발을 함께할 수 있어 기쁘고 벅차다.

2020년 12월
'가천 인문 책 프로젝트'를 시작하며,
가천대학교 인문대학

12 비록 파라다이스는 아닐지라도

\- 송윤서, 이예솜

13 커피 칸타타, 한낮에 꾸는 꿈

\- 김유진, 신현기, 최수빈

14 늙은 왕자

\- 양혜원, 조소빈, 차소윤, 최민영

15 추억 발자국

\- 김가윤, 손수민, 이창규, 정다연

16 탈피

\- 김선아

17 찾았다, 프랑스! - MZ세대가 바라보는 프랑스-한국

\- 강다솜, 김유경, 안미르, 이유정

18 나의 길 2022

\- 홍채린, 김수민, 이예원, 김연재, 김현수, 방극현, 이유선, 임영재, 이다원,

배효정, 정유나, 안소연, 오현택, 김민주, 권라혜, 장상구, 최민수, 김해진,

신정민, 최수인, 장미리, 조성은, 배지은, 임형준, 정슬아, 정지윤, 송인동,

최대원, 김유화, 이상현, 이상훈, 권사랑, 이은지, 임정식, 이만식

19 REALTY for REAL (진짜들을 위한 부동산) [가천대 영어교재 시리즈-01]

\- 방극현, 최대원, 송인동, 임형준

20 팝송 가사 실전에 써먹기(Popping expressions in Pop songs) [가천대 영어교재 시리즈-02]

\- 배효정, 권라혜, 신정민, 이다원, 임영재, 최수인, 정슬아

32 여기저기 써먹는 일상 한국어 (중국어ver)
- 권자연, 김현진, 조수경, 채예인, 황민서

33 마왕에게 꼭 필요한 조언 모음집
- 김동현

34 프랑스 문화 올림픽
- 김의나, 김종현, 김하진, 남치원, 박채연, 성윤지, 신동훈, 신승연, 양기성, 양현진, 이재형, 이주아, 정승아, 지창훈, 진희원, 허수정

35 중국, 넌 어떻게 생각해? : 중국인 인식 개선 프로젝트
- 김다희, 윤태민, 최하늘

36 Travel Bible: For Chinese Student at Gachon University
- 곽민정, 김예림, 김예신

37 즐겨찾기 서울: 한 권으로 보는 서울 핫 플레이스
- 양다연, 유혜린, 이나현